101
ARCÁNGELES

101
ARCÁNGELES

Cómo comunicarte con los arcángeles
Miguel, Rafael, Gabriel, Uriel y otros
para sanación, protección y guía

DOREEN VIRTUE

Traducido por: Ivonne Saíd M.

Grupo Editorial Tomo, S.A. de C.V.,
Nicolás San Juan 1043,
03100 México, D.F.

1a. edición, octubre 2012.

© *Archangels 101*
por Doreen Virtue, Ph. D.
Copyright © 2010 por Doreen Virtue
Publicación original en inglés en 2010 por
Hay House Inc., U.S.A.

© 2012, Grupo Editorial Tomo, S.A. de C.V.
Nicolás San Juan 1043, Col. Del Valle
03100 México, D.F.
Tels. 5575-6615, 5575-8701 y 5575-0186
Fax. 5575-6695
http://www.grupotomo.com.mx
ISBN-13: 978-607-415-426-9
Miembro de la Cámara Nacional
de la Industria Editorial No 2961

Traducción: Ivonne Said Marínez
Diseño de portada: Karla Silva
Formación tipográfica: Armando Hernández
Supervisor de producción: Leonardo Figueroa

A Dios.
Gracias por tus
amados ángeles.

CONTENIDO

¿QUIÉNES SON LOS
ARCÁNGELES?

La palabra *arcángel* proviene del griego *archi*, que significa "primero, principal o jefe"; y *angelos*, que quiere decir "mensajero de Dios"; por lo tanto, los arcángeles son los mensajeros principales de Dios.

Los arcángeles son seres celestiales sumamente poderosos, cada uno tiene una especialidad y representa un aspecto de Dios. Bien puede considerárseles facetas de la cara de Dios, la joya y la gema supremas del universo. Dichas facetas, o arcángeles, son prismas que emiten la luz y el amor Divinos de manera específica a todos los habitantes de la Tierra.

Los arcángeles son parte de la creación original de Dios, y existen desde mucho antes que la humanidad o las religiones organizadas. Pertenecen a Dios, no a una teología específica; por lo tanto,

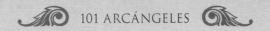

trabajan con gente de todas las creencias y filosofías. En realidad, asisten a cualquiera que lo solicite.

En el arte, los arcángeles son representados como humanos ideales con largas alas de águila o de cisne, en contraste con las representaciones artísticas de los querubines, que son bebés con alas pequeñas.

En este libro, hablaré de los quince arcángeles de Dios de la tradición monoteísta, entre ellos los famosos ángeles de la Biblia y los libros no canónicos (Los manuscritos del mar Muerto), e incluí a los ángeles reconocidos por los teólogos judeocristianos.

Mi investigación está basada en:

• La Biblia tradicional canónica judeocristiana (la versión del rey Jaime, y la nueva versión internacional).

• Los libros apócrifos (aquellos que no forman parte de la Biblia canónica o tradicional, pero que se consideran escrituras sagradas), como el Libro de Enoc (que originalmente se escribió en etiope y después en hebreo), y el Libro de Esdras.

• La mística Cábala judía (que reconoce a los arcángeles como guardianes del sendero espiritual del Árbol de la Vida), incluyendo el Zohar.

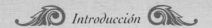

- El Corán monoteísta.

- Las enseñanzas de la Iglesia Ortodoxa.

Combiné estas referencias espirituales con el conocimiento que he adquirido durante los años que llevo trabajando con los arcángeles y dando cursos sobre ellos. Como descubrirás, en el capítulo de cada arcángel hay una historia real, o dos, que ilustra la manera en la que los arcángeles participan en nuestra vida moderna, así como oraciones a lo largo del relato relacionadas con la especialidad de cada arcángel.

Los nueve coros de ángeles

La *angelología*, el estudio de los ángeles, afirma que existen nueve "coros" o ramas de ángeles, tales como:

- **Serafines:** son la orden de ángeles más elevada y se dice que son resplandecientes, porque están más cerca de Dios. Son luz pura.

- **Querubines:** por lo general, son representados como niños gorditos con alas de Cupido. Los querubines son la segunda orden más elevada, y son amor puro.

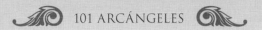

- **Tronos:** la triada de serafines, querubines y tronos reside en los reinos más altos del Cielo. Los tronos son el puente entre lo material y lo espiritual, y representan a la justicia de Dios.

- **Dominaciones:** los dominios son los más elevados en la siguiente triada de ángeles. Son los supervisores o gerentes de los ángeles, según la voluntad de Dios.

- **Virtudes:** estos ángeles rigen el orden del universo físico y son los guardianes del sol, la luna, las estrellas y todos los planetas, incluida la Tierra.

- **Potestades:** como su nombre lo indica, este coro está integrado por guerreros pacíficos que limpian al universo de las energías bajas.

- **Principados:** la tercera triada está conformada por los ángeles que se encuentran más cerca de la Tierra. Los principados cuidan al planeta, a los países y a las ciudades, para asegurar que se cumpla la voluntad de paz de Dios en la Tierra.

- **Arcángeles:** ellos son los supervisores de la humanidad y los guardianes de los ángeles; cada arcángel tiene una especialidad que representa un aspecto de Dios.

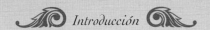

- **Ángeles de la guarda:** tú, y cada individuo, tienen ángeles de la guarda personales que se les asignan a lo largo de la vida.

Este modelo de nueve coros tiene su origen en las referencias bíblicas de los serafines y los querubines, que se difundieron en las escrituras teológicas de Pseudo Dionisio en el siglo V y que luego se volvieron populares gracias al poema épico *El paraíso perdido*, de John Milton.

Interactuando con los arcángeles

Como los arcángeles están muy cerca de la Tierra y de los humanos, es natural que nos comuniquemos con ellos. De hecho, la Biblia está repleta de relatos de personas que interactúan con Miguel y con Gabriel. Los arcángeles se relacionan con nosotros conjuntamente con la voluntad de paz de Dios.

No elevamos plegarias a los arcángeles ni los veneramos, toda la gloria es para Dios. Trabajamos con ellos simplemente porque son el regalo que Dios nos dio y forman parte de su plan Divino de paz.

Entonces, ¿por qué no simplemente dirigimos todas las preguntas y las solicitudes a Dios? Porque los arcángeles son extensiones de Él y es más fácil

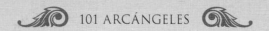

escucharlos y sentirlos en momentos de mucho estrés, ya que sus vibraciones están muy condensadas y son palpables y prácticamente tangibles. Los arcángeles nos recuerdan el amor de Dios, como sucede cuando observamos un arco iris o la puesta de sol.

No es necesario que tengas un comportamiento de santo o perfecto para solicitar la ayuda de los arcángeles. Ellos pasan por alto los errores humanos y miran la bondad que hay en el interior de cada uno de nosotros. Quieren traer paz a la Tierra ayudándonos a ser *pacíficos*; por lo tanto, parte de su misión es ayudar a la gente que *no* tiene paz.

Como hologramas de la omnipresencia de Dios, los arcángeles son seres ilimitados. ¿Recuerdas la promesa de Jesús: "Siempre estoy contigo"? Bueno, los arcángeles, igual que Jesús, están con cada persona que los llama.

La clave es que los arcángeles nunca violan tu libre albedrío, interviniendo sin permiso, aunque al hacerlo te causen felicidad. Tienen que esperar a que les des permiso a través de una oración, un grito de ayuda, un deseo, una visualización, una afirmación o un pensamiento. A los arcángeles no les importa *cómo* pidas su ayuda, sólo necesitan que lo *hagas*.

Tampoco pienses que solicitas su intervención de manera incorrecta, ni tienes que contar con capacitación especial, ni usar invocaciones extra-

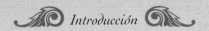

vagantes para atraer su atención. Cualquier llamado sincero basta, pues lo único que requieren es tu permiso.

Las oraciones afirmativas y suplicantes funcionan. En las primeras, se trata de una afirmación o una visualización aquí y ahora, como: "Gracias, arcángel Miguel, por protegerme"; y en las segundas, una petición: "Por favor, protégeme, arcángel Miguel". Ambas producen los mismos resultados.

También hay respuesta cuando se pregunta: "¿Debo llamar a Dios directamente? ¿Le pido a Dios que mande a los ángeles correspondientes? ¿O les pido a los ángeles directamente?". Estas preguntas insinúan que hay una separación entre Dios y los ángeles, y no es así.

Este libro te guiará para que conozcas las especialidades, las características, las personalidades y las energías de mis arcángeles favoritos; de esta manera, desarrollarás una relación más íntima con ellos. Entre más trabajas con ellos, más confías en ellos. Te sentirás tranquilo, teniendo la certeza de que estás seguro y protegido en cualquier situación.

Los arcángeles en los textos sagrados

Se describe a los arcángeles en textos espirituales como:

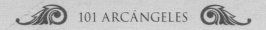

— **La Biblia:** Miguel y Gabriel son los únicos dos arcángeles que se nombran específicamente en la Biblia. El libro de Daniel menciona a ambos, e incluso describe cómo Gabriel ayuda a Daniel a interpretar sus visiones, y se refiere a Miguel como "uno de los príncipes más importantes". En el Evangelio de Lucas, Gabriel aparece en la famosa anunciación: "No temas, porque has hallado gracia delante de Dios", de los nacimientos de Juan el Bautista y de Jesucristo. Miguel también aparece en el Libro de Judas, para proteger el cuerpo de Moisés, y en Revelaciones.

— **Libros bíblicos apócrifos y del Talmud:** son los textos bíblicos que no se incluyen en la Biblia canónica, pero que se consideran sagrados y conforman a la Biblia de la Iglesia Ortodoxa y otras iglesias. En el Libro de Enoc se menciona a los arcángeles Miguel, Raguel, Gabriel, Uriel y Metatrón. En el Libro de Tobías se relata que el arcángel Rafael guía a Tobías en sus viajes y lo ayuda a crear ungüentos para sanar a su padre, Tobit. El segundo libro de Esdras (reconocido por la iglesia copta) menciona al arcángel Uriel, refiriéndose a él como "el ángel de la salvación".

— **El Corán:** el arcángel Gabriel (Jibrayil) le reveló a Mahoma la escritura islámica. El Corán y las

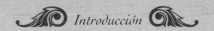

tradiciones musulmanas también describen a los arcángeles Miguel (Mikaaiyl), Rafael (Israfel) y Azrael (Izrael).

¿Cuántos arcángeles existen?

La respuesta depende de a quién se le pregunte.

Tradicionalmente, la gente piensa en el cuarteto formado por Miguel, Rafael, Gabriel y Uriel; sin embargo, como mencioné, sólo dos de ellos aparecen en la Biblia tradicional. Los musulmanes sostienen que existen cuatro arcángeles: Gabriel, Miguel, Azrael y Rafael.

En el Libro de las Revelaciones, de la Biblia, se dice que hay siete arcángeles, y en el Libro de Tobías, no canónico, Rafael afirma que es uno de los siete. Los gnósticos también consideran la existencia de siete arcángeles. Los historiadores creen que el número siete es una mezcla de la religión y la astronomía babilonia, que veneran a los poderes místicos de los siete planetas.

Aunque el nombre de los siete arcángeles que conforman la lista varía de fuente en fuente; y eso sin siquiera tomar en cuenta que el nombre de cada arcángel tiene diferente ortografía y pronunciaciones.

En la mística Cábala judía, diez arcángeles representan a cada uno de los *sephiroth*, o aspectos de

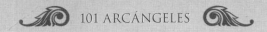

Dios. En esta tradición, Metrarón es el arcángel principal.

Así, el tema de cuántos arcángeles existen resulta confuso y subjetivo. Para mi propia satisfacción, intenté responder esta misma pregunta durante la investigación que realicé cuando escribí mi libro *Arcángeles y Maestros Ascendidos*. Mi metodología fue aprender todo lo que pude sobre los arcángeles, y después interactuar personalmente con cada uno. Los quince arcángeles con los que pude comunicarme e investigar con facilidad, y que provenían del amor y la luz pura de Dios, se incluyeron en ese libro, y en éste.

En realidad, hay legiones de arcángeles ayudándonos aquí en la Tierra; de hecho, la teología ortodoxa sostiene que son miles. Yo elevo mi plegaria para que abramos nuestra mente y recibamos a los fidedignos arcángeles en nuestro círculo de amigos espirituales.

Si te inquietan las energías bajas, permíteme tranquilizarte diciéndote que no hay manera de que algún ser físico o espiritual oscuro se mimetice con la intensidad del amor y la luz que sana y que surge de nuestros queridos arcángeles de Dios. Además, si le pides a Dios, a Jesús y al arcángel Miguel que te protejan de las energías bajas, encantados de la vida se aseguran de que sólo seres de luz estén a tu lado.

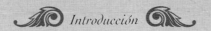

Sí, *existen* seres espirituales oscuros de energía baja que algunos llaman "ángeles", pero en realidad se trata de seres terrestres. Por ejemplo, el "arcángel" llamado Samael, que alguna vez recibió el nombre de "ángel de luz" o el "portador de luz"; de repente la luz de Samael se apagó y se volvió vengativo y oscuro. Parece que ésta es la base de la ideología sobre Lucifer, que no se menciona específicamente en la Biblia, pero aparece en la mitología y las leyendas.

En este libro, no hay ni una referencia a esos "ángeles" oscuros del ocultismo, ni siquiera a aquellos que supuestamente se relacionan con el rey Salomón. La leyenda oculta afirma que Salomón utilizaba su anillo mágico, que tenía grabada la estrella de David, para controlar a los demonios que construyeron su templo. En ocasiones, estos setenta y dos demonios aparecen en listas de nombres de ángeles, pero no lo son. Los grimorios llamados *La llave del rey Salomón* y *La llave menor del rey Salomón* introducen energías oscuras y de poca confianza. (Por cierto, yo no creo que el buen rey Salomón trabajara con energías bajas).

Algunos ocultistas invocan los nombres de los arcángeles sagrados Miguel, Rafael, Gabriel y Uriel en ceremonias oscuras. Mi sugerencia es que no te involucres en religiones o prácticas espirituales que se basen en el miedo o la culpa. No te alejes del

reino de los ángeles, de la luz y del amor de Dios, ellos son los únicos que de verdad te brindan la paz y la felicidad que deseas.

La respuesta principal que escucho por parte de aquellos que comienzan a trabajar con los arcángeles es: "¡Cambiaron mi vida para mejorar!". La gente se vuelve más feliz, más sana, más tranquila y más firme cuando les pide ayuda. Los arcángeles son un medio muy personal de ponerse en contacto con el amor y la sabiduría de Dios.

¡Que cada momento de tu día sea transportado en las alas de los ángeles!

—Doreen Virtue

Capítulo Uno

MIGUEL

Querido arcángel Miguel, gracias por proteger a mis seres queridos y a mí. Gracias por cuidar de nosotros, de nuestras casas y de nuestros vehículos. Gracias por darme el valor y la confianza para avanzar hacia la misión Divina de mi vida.

A Miguel también se le conoce como: San Miguel, Mikael, Mika'il, Mikha'el, Beshter o Sabbathiel.

El nombre Miguel significa: "el que es como Dios".

Miguel es quizá el más famoso de todos los arcángeles; lo han hecho santo, iglesias reciben su nombre en honor a él, se le menciona con mucha frecuencia en la Biblia y en otros textos sagrados, e infinidad de hombres se llaman igual que él.

En el arte antiguo y moderno, se representa a Miguel como un arcángel alto, atlético, de intensas y fuertes expresiones faciales y lenguaje corporal. Por lo general, está con su espada sostenida sobre un demonio sometido. La intención de ello es expresar la misión principal de Miguel, que es dar muerte al ego y al miedo.

Su espada está hecha de luz y no de metal, y la usa para liberarnos de las garras del miedo. Miguel sabe que si no tenemos miedo, estamos en paz.

Algunos creen que Miguel y Jesús son el mismo hijo Divino de Dios porque tienen misiones similares. He descubierto que ambos trabajan en estrecha colaboración, pero conservan diferentes imágenes. En mi investigación psíquica histórica, encontré evidencia de que Jesús y Miguel trabajan juntos desde que los humanos poblaron la Tierra. Ellos siempre han estado aquí, en la Tierra, y siempre permanecerán en ella protegiendo al planeta y a nosotros.

Miguel es uno de los dos arcángeles que se mencionan en la Biblia canónica (junto con Gabriel). En el Libro de Daniel, Miguel se presenta al profeta Daniel como el protector de Israel; en el Libro de Judas, protege el cuerpo de Moisés; en el Libro de las Revelaciones, pelea con dragones (el símbolo histórico del mal o del ego); en el apócrifo Libro de Enoc, Miguel es llamado "el príncipe de Israel", que enseña y protege al profeta Enoc.

La tradición judía sostiene que Miguel se le apareció a Abraham, que fue el ángel que ayudó a Moisés a recibir los Diez Mandamientos, e intervino para salvar las vidas de Isaac y Jacob.

Según el catolicismo, Miguel vencerá al Anticristo en el fin de los tiempos. Debido a sus intervenciones milagrosas, la tradición católica venera a Miguel y lo ha nombrado santo patrón de los oficiales de policía y demás rescatistas.

Miguel también es el santo patrón de los enfermos y suele considerársele un estupendo sanador. Por lo general, se le invoca junto con Jesús, Rafael y otros santos relacionados con la sanación de enfermedades físicas.

Cada arcángel tiene una especialidad, y algunos, como Miguel, tienen varias, por ejemplo:

Protección

Como defensor de todo lo que es puro, Miguel es el arquetipo de la fuerza y el valor. Interviene milagrosamente para salvar vidas y proteger a nuestros cuerpos, nuestros seres queridos, nuestros vehículos, nuestras pertenencias y nuestra reputación.

Un comandante de la Fuerza Aérea, de nombre Earl T. Martin, hoy está vivo porque escuchó y siguió las advertencias verbales de Miguel.

Earl estaba en Alaska, en un campo de la Fuerza Aérea; cuando se acostó en su casa de campaña para descansar, escuchó con claridad una voz masculina que le decía: "No te acuestes en esta posición en la tienda de campaña, acomódate en la dirección opuesta de inmediato y sin dudar".

Earl hizo caso a las órdenes de Miguel y cambió de posición. Un instante después, escuchó disparos y sintió ardor en el tobillo. Un militar disparó accidentalmente su rifle y rozó el tobillo de Earl. Si no hubiera seguido las indicaciones de Miguel, ¡la bala le hubiera dado en la cabeza!

Protección en vehículos

Gracias, Miguel, por proteger mi vehículo y a quienes van a bordo de él, así como a todos los que manejan y caminan a nuestro alrededor.

He leído y me han contado muchos relatos donde Miguel salva a algún conductor de un accidente potencial, como en la historia de Hilda Blair.

Todas las mañanas, Hilda le pide al arcángel Miguel que la proteja, sobre todo cuando va al volante. Y un día, hace poco, fue testigo de los

resultados de sus oraciones y de la protección de Miguel.

Hilda iba manejando su auto compacto en una vía rápida. El largo camión blanco que iba delante de ella comenzó a pasarse al carril de la izquierda, e Hilda decidió acelerar y tomar el espacio que éste dejaba. Pero justo cuando iba a hacerlo, escuchó una voz que decía: "Quédate donde estás. No avances, va a cambiar de opinión". De momento, Hilda pensó que la voz estaba equivocada, porque seguía viendo que el camión blanco se pasaba al carril izquierdo.

Pero entonces, el camión viró bruscamente para volver a acomodarse delante del auto de Hilda. Si ella hubiera acelerado, ¡la hubiera chocado! Le agradeció a Miguel su protección y se sintió aliviada por haber escuchado su aviso.

Las historias de Hilda y de Earl ilustran el método que Miguel utiliza para protegernos, guiándonos específicamente a través de lo que percibimos como una voz masculina incorpórea. Sólo nos dice lo que necesitamos escuchar, como: "Cambia de carril en este momento". Si escuchas su voz, sigue las indicaciones.

Cuando te subas a un auto, es importante que pidas la protección de Miguel, como lo hizo Hilda. Recuerda que los arcángeles intervienen nada más si les pides ayuda.

Otra mujer, de nombre Suzie O'Neill, también comprobó que salvó su vida pidiendo la protección de Miguel antes de empezar a manejar.

Suzie y su hija iban por la autopista de California cuando vio que se derrapaba un auto que iba delante de ellas. Pareció que el tiempo se detuvo cuando Suzie observó que el parachoques iba directo a su auto deportivo. Entonces, milagrosamente, el otro coche dejó de deslizarse y se evitó el choque.

La hija de Suzie, que no creía en ángeles ni en milagros, le preguntó: "¿Viste eso?". Pero Suzie sabía lo que había sucedido porque le pidió al arcángel Miguel que las protegiera justo antes de subirse a su auto ese día. Entonces, cuando se detuvieron y un hombre se acercó para ver si estaban bien, y que después desapareció sin dejar rastro, Suzie comprobó que fue otra manera de recibir la protección de Miguel.

Como debía suceder, la hija de Suzie ahora ya cree en el poder milagroso de los ángeles y sus formas de protección. Aquellos que hemos tenido experiencias con los ángeles, pasamos de sólo *creer* a *saber* con certeza el instante en el que Miguel salva nuestra vida.

Si olvidas pedir su protección antes de subirte al auto (o a cualquier otro medio de transporte), puedes solicitar su ayuda al instante durante una crisis. Yo admiro a la gente que como Amanda Peart, en la siguiente historia, tiene los medios para llamar a Miguel en una emergencia, cuando la mayoría de las personas simplemente gritaría o diría improperios.

Cuando un hombre que manejaba un auto compacto azul casi se le echa encima al vehículo de Amanda, ella quedó impactada. Él empezó a gritarle y viró repetidamente. En breve, se dio cuenta de que el hombre estaba enfrascado en una riña de tránsito y que ella corría el riesgo de verse arrastrada a un accidente. Comenta: "Había mucho tráfico y estaba segura de que iba a matarme".

En cuanto percibió el peligro en el que se encontraba, Amanda pidió la protección del arcángel Miguel. De repente, apareció una camioneta blanca junto a ella literalmente de la nada; se colocó delante de Amanda, entre su auto y el azul, y ahí se quedó, bloqueándolo. Al final, el coche azul se salió de la vía rápida. Aun así, la camioneta acompañó a Amanda casi hasta que llegó a su casa.

La camioneta blanca era un ángel, y he leído relatos similares donde un vehículo misterioso (por lo general blanco, como los ángeles) aparece para proteger, o dar luz, durante atemorizantes situaciones al volante. En muchas historias del arcángel Miguel hay vehículos como ambulancias y autobuses que surgen a tiempo de manera milagrosa para ayudar a alguien y luego desaparecen más adelante.

El arcángel Miguel te protege siempre que te subes a un auto, un barco, un avión o un tren; lo único que debes hacer es pedírselo.

Protección de objetos

Querido arcángel Miguel, por favor,
cuida mi casa y todas mis pertenencias,
ayudándome a sentirme sano y salvo.

Los ángeles protegen nuestras pertenencias para ayudarnos a conservar la paz mental. Saben el estrés que produce la inseguridad relacionada con nuestros objetos personales, por eso cuidan nuestras cosas con gusto. Después de todo, los ángeles son seres ilimitados, así que custodiar nuestras posesiones no los distrae de sus misiones vitales.

Como el arcángel Miguel es el principal protector de todos, es lógico que vigile nuestros bienes. (Una vez más, esta labor no lo aleja de asuntos más urgentes, pues Miguel es omnipresente). Aquí un caso:

Iba manejando la camioneta que rentó, cuando Carmen Carignan se horrorizó al descubrir que había dejado su maleta (donde traía obsequios para sus hijos) en la muy transitada banqueta del aeropuerto. De inmediato, le pidió al arcángel Miguel que la envolviera con su protectora luz dorada. Cuando regresó a la terminal, seguía donde la había dejado Carmen.

Dice: "La gente iba y venía, pero ¡nadie notaba la maleta! Parecía que estaba cubierta por una capa invisible, ¡y nadie la había tocado! Me sentí muy aliviada y muy agradecida con el arcángel Miguel por su asistencia protectora".

Protección espiritual

Querido arcángel Miguel, por favor, envuelve a mis seres queridos, a mi casa y a mí con tu luz morada para disipar y alejar las energías bajas. Por favor, guíame con claridad para que interactúe sólo con gente que vive en la verdad y la integridad.

El arcángel Miguel es *el* protector supremo que nos cubre de los efectos de las energías oscuras y del miedo. Después de todo, esta emoción negativa es la fuerza motora que impulsa a todo lo indeseable de este mundo. Sin miedo, tenemos paz.

Miguel te protegerá de las energías bajas si se lo solicitas. Igual que los gorilas que están en la puerta de los centros nocturnos, aleja a los espíritus, experiencias y personas oscuras de ti. Nada más un par de advertencias: (1) tienes que pedir su ayuda, como he estado haciendo énfasis; y (2) necesitas hacer caso a las sensaciones intuitivas que, como banderas rojas, te advierten si te encuentras cerca de personas o situaciones con energía baja.

Si el instinto te dice que algo está mal en una relación o una situación, confía en esa sensación porque es el aviso de tu cuerpo, tu yo superior, el arcángel Miguel y Dios. Y cuando suceda, pídele a Miguel que te guíe para salir de la situación. No me canso de señalar ese punto con tanto énfasis.

Cuando los padres me preguntan cómo ayudar a sus hijos sensibles para que duerman mejor, les aconsejo que trabajen con el arcángel Miguel. También es una buena idea que les enseñen a los niños a llamarlo cuando necesiten más valor o consuelo.

La hija de cinco años de Jill Gunther no podía dormir, y el arcángel Miguel vino en su ayuda. Jill sabía que había energías negativas en la habitación de su hija porque siempre estaba fría y tenía pesadillas cuando dormía con la niña ahí. Dicho sea en su honor, Jill confió en esa sensación.

Incluso después de que la familia se mudara a una casa nueva, la recámara de la niña continuaba plagada de esas energías, y notó que su muy sensible hija atraía a espíritus necesitados.

Entonces, Jill visitó a un terapeuta con Ángeles, quien solicitó al arcángel Miguel que cortara los cordones de miedo y limpiara la energía de la niña,

de ella y de cada una de las habitaciones de la casa. Jill percibió la energía de Miguel y de inmediato se sintió en paz; ésta fue su primera experiencia espiritual.

Desde entonces, la hija de Jill duerme bien y perdió el miedo a irse a la cama. La temperatura de su recámara ahora es la misma que en el resto de la casa. La niña sabe que puede llamar al arcángel Miguel cuando necesite su fuerza y su protección.

Pero los adultos también requieren protección. Si alguien está enojado contigo o te tiene envidia, esa persona podría estar mandándote energía de "ataque psíquico". Por lo general, el atacante no tiene idea de la fuerza que llevan sus emociones oscuras. Es como si lanzaran bolas de fuego cuando sienten intensa ira o envidia hacia otro individuo.

Si de repente sientes dolores agudos, puede ser una señal de que están atacándote psíquicamente. Incluso nuestros seres queridos, sin darse cuenta, nos atacan a veces. De hecho, hasta uno se ataca *a sí mismo* con pensamientos nada afectuosos.

El arcángel Miguel intercepta los ataques psíquicos que llegan, te protege de los futuros, limpia la energía y el impacto de los que ya te hayan alcanzado.

Una mujer llamada Gladys estaba plagada de energías oscuras y ataques psíquicos desde que era niña. De manera espontánea, su mente se llenaba de pensamientos inquietantes y molestos. Gladys probó de todo para protegerse, cuidarse y limpiarse, pero hasta que leyó sobre el arcángel Miguel y le pidió constantemente que estuviera a su lado, se detuvo la tormenta.

Gladys me dijo: "Ya no hay ataques. El arcángel Miguel es un amigo maravilloso. Desde que está conmigo, siento que se elevó mi vibración".

Protección del empleo y la reputación

Arcángel Miguel, gracias por proteger mi carrera y mi reputación de las energías bajas. Por favor, guía mis acciones para que reflejen la integridad más elevada y mi verdadero camino espiritual.

El arcángel Miguel nos cuida de muchas maneras, y una de ellas es protegiendo nuestra reputación y nuestro empleo, como descubrió Carol Clausen.

Un día, cuando Carol trabajaba como profesora asistente durante su servicio social, se enfrentó a un dilema ético, la maestra con la que trabajaba en el salón de clases tuvo que irse para cuidar a su hijo, dejando a Carol al frente de los alumnos, lo cual era ilegal en el estado en el que vive porque no estaba titulada. Le preocupó que si aceptaba encargarse ilegalmente de los chicos, su reputación se viera afectada y le prohibieran ejercer en el futuro.

Entonces, Carol le pidió al arcángel Miguel que protegiera su empleo y su reputación, trayendo a una maestra titulada. En cuanto hizo esta oración, escuchó una voz en su mente que le decía: *Ve a ver el nombre del folder que está en la silla donde dejaste tu abrigo*. Carol levantó su abrigo y dio un grito ahogado de felicidad cuando descubrió que en la parte superior del folder decía "arcángel Mike'l".

Esta señal tranquilizó a Carol porque comprobó que su plegaria había sido escuchada y respondida. Por supuesto, unos minutos más tarde, la directora de la escuela acompañó a una maestra titulada al salón para que diera la clase de ese día.

Guía para la misión

Arcángel Miguel, ¿qué cambios estaría bien que hiciera en este momento de mi vida? Por favor, guíame con claridad hacia el sendero de mi misión.

El arcángel Miguel ha estado supervisando la misión de Dios en la tierra desde antes de que los humanos poblaran el planeta, y monitorea con cariño nuestra misión Divina. Miguel se encarga de controlar y llevar registros, ayudándote (a ti y a todos) a descubrir tu misión. También guía tus pasos y te asiste en los cambios importantes de la vida.

Si se lo pides, Miguel conducirá tu carrera espiritual, como en el caso de Malanie Orders, quien detestaba su empleo como chef del aeropuerto, sobre todo porque empezaba a trabajar a las tres de la madrugada todos los días. Como masajista certificada, soñaba con tener una carrera como tal de tiempo completo. Pero no había hecho nada proactivo para volver realidad su sueño.

Entonces, Melanie supo que el arcángel Miguel podía guiar su carrera como sanadora, así que le pidió que la ayudara a dejar de trabajar como chef y comenzar a buscar gente que necesitara masajes. ¡Su plegaria funcionó de inmediato! Ese día, el esposo de una compañera de trabajo de Melanie le preguntó si conocía a un buen masajista, y ¡listo!, Melanie tuvo a su primer paciente.

Así, comenzaron a recomendar a Melanie, su práctica creció y pudo reducir el número de horas que trabajaba en el aeropuerto. Le dio las gracias al arcángel Miguel y le pidió que la ayudara a que se convirtiera en un empleo de tiempo completo.

Poco después de esta solicitud, Melanie tuvo más oportunidades sincrónicas de dar masajes. Su esposo encontró una estupenda clínica para masajes que estaba en renta, por lo que Melanie logró abrir un consultorio de tiempo completo y dejar su empleo en el aeropuerto.

Melanie sigue trabajando con el arcángel Miguel para limpiar la energía de la clínica y para adquirir más confianza en su capacidad para dar mensajes angélicos a sus pacientes. Todo lo que ha pedido se ha vuelto realidad gracias al arcángel Miguel.

Tú puedes alcanzar el mismo éxito trabajando en equipo con Miguel, lo único que debes hacer es pedir su ayuda y su guía. Recuerda que Melanie lo consiguió de inmediato porque fue muy clara en sus deseos. Si parece que tus oraciones están bloqueadas o muy lentas, es quizá porque no estás seguro de lo que pides, o quizá cambiaste de opinión. Entre más claro eres con Miguel, más rápido se manifiestan tus sueños.

Si necesitas aclarar tu misión o tu carrera, te recomiendo que tomes una pluma y una hoja de papel y te dirijas a un sitio tranquilo. Escribe una pregunta para el arcángel Miguel, luego regístrala para que se convierta en pensamiento, sentimiento, palabras o visiones. Anota todas las impresiones, aunque no las entiendas o creas que estás inventándolas (porque no es así). En esta "entrevista" escrita con el arcángel Miguel recibirás información detallada sobre tu carrera, o cualquier tema que le consultes.

También puedes solicitarle guía mientras duermes, simplemente piensa en qué necesitas ayuda y pídele que se aparezca en tus sueños. Dile que sea claro, comprensible y que recuerdes cuando despiertes.

Reparación de objetos indispensables

Arcángel Miguel, gracias por arreglar este objeto para que pueda utilizarlo en el servicio de mi misión Divina.

En esta época, estamos acostumbrados a depender de las computadoras y otras herramientas mecánicas y eléctricas, por lo que si alguna de ellas se descompone, afecta nuestro trabajo y causa estrés innecesario. El arcángel Miguel tiene un talento especial para revivir estos artículos, sobre todo porque al hacerlo apoya nuestra misión o nos brinda protección.

Por ejemplo, los faros del auto de Terrick Heckstall llevaban cinco meses sin funcionar, lo que no importaba ya que iba a su trabajo con la luz del día. Pero en una ocasión, una labor retuvo a Terrick en la oficina hasta el anochecer.

Le preocupaba tener que manejar en la oscuridad sin faros, pero entonces recordó agradecerle a Dios y al arcángel Miguel su protección. En cuanto lo hizo, Terrick escuchó una fuerte pero tranquilizadora voz masculina (cree que era Miguel) que le dijo: "No te preocupes. Nosotros te daremos la luz". Un instante después, los faros se encendieron milagrosamente y llegó a salvo a casa, ¡iluminado por la luz Divina!

Mucha gente me ha contado cómo Miguel intervino de manera milagrosa para que sus automóviles funcionaran bien. Además he escuchado relatos de cómo los ángeles lograron que un auto se quedara parado para evitar un accidente. Miguel sabe lo que hace para protegernos.

Elizabeth Pfeiffer, su esposo y su hijo salieron a dar un paseo en su camioneta todoterreno nueva. Pero cuando volvieron a la calle, el esposo de Elizabeth no pudo devolver la camioneta a la tracción sencilla, apretó todos los botones y estudiaron el manual, pero nada funcionó. Les daba miedo arruinar la transmisión si mantenían el vehículo en el modo todoterreno durante mucho tiempo.

Estaban en un sitio alejado donde no había gasolineras, por lo que Elizabeth decidió llamar al arcángel Miguel, a quien se le conoce por resolver esos problemas. En silencio, le pidió: Arcángel Miguel, ¿puedes ayudarnos a sacar la camioneta de la función todoterreno?

¡La camioneta volvió a la tracción sencilla! El esposo de Elizabeth se quedó mirando la consola sorprendido y comentó:

—¡Regresó! ¡Ya está en modo sencillo!

—¿Apretaste el botón? —preguntó Elizabeth.

—No, regresó solo —respondió él con la sorpresa dibujada en el rostro.

Avanzaron durante varios minutos, comentando que el botón se había apretado de manera milagrosa, cuando se escuchó la voz de su hijo en el asiento trasero que decía:

—¿Saben? Le pedí ayuda al arcángel Miguel.

—¡Yo también! —dijo Elizabeth con un grito ahogado, y chocaron las palmas para celebrar su trabajo en equipo con los ángeles.

El arcángel Miguel puede reparar cualquier artículo electrónico o mecánico guiándote de manera intuitiva para que lo repares, conduciéndote hacia la persona adecuada para que lo arregle, o interviene y lo hace él mismo. Yo siempre confío en que Miguel sabe lo que hace y que elegirá el mejor método de soporte para ayudarnos.

Por ejemplo, cuando la oficina de Nicholas Davis estaba actualizando las memorias de las computadoras, a él y su colega les costó trabajo abrir una computadora que estaba atornillada con apretados ganchos viejos. Intentaron de todas las maneras posibles, pero estaba bien sellada.

Por fin, Nicholas recordó que había tenido éxito pidiéndole al arcángel Miguel que arreglara su equipo electrónico; así que lo llamó en silencio, y entonces sintió cómo la energía de Miguel invadió con fuerza todo su cuerpo y escuchó las palabras: *Estoy aquí para asistirte con tu computadora.*

¡Nicholas la destapó en dos segundos! Ni siquiera recuerda cómo lo hizo, simplemente sucedió.

El colega de Nicholas, impresionado, lo miró y le preguntó:

—¡Vaya! ¿Cómo lo lograste?

—No fui yo, llamé a los ángeles y ellos la destaparon —Nicholas decidió decir la verdad y responder sin temor.

Con los años, he escuchado historias de que Miguel repara tuberías, cerraduras eléctricas, iPods e infinidad de artículos. ¿El común denominador de todos esos relatos? ¡La persona le pide ayuda a Miguel!

Señales del arcángel Miguel

Querido arcángel Miguel, por favor, envíame
una señal clara que distinga y entienda con facilidad;
déjame saber que estás aquí y ayúdame a alcanzar
la guía y la paz en esta situación.

Cada arcángel emana un halo o un campo de energía. Como sabes, la energía vibra a diferentes niveles, creando la apariencia de diversos colores;

bueno, las energías de los arcángeles producen halos de diferentes colores.

El aura del arcángel Miguel es de color morado o azul rey, pero también dorado. Algunas personas sensibles visualmente ven destellos de luz o chispas de esos colores con sus ojos físicos, señal de que Miguel está cerca. Otra es que de repente te sientas atraído a cosas de color morado o azul rey.

Una mujer de nombre Nadine le pidió protección a Miguel una noche que estaba sentada en su auto sola, en un estacionamiento oscuro, mientras su esposo hacia un mandado. En cuanto Nadine solicitó la ayuda de Miguel, vio una sombra alta azul fosforescente parada a su lado. La visión duró unos segundos, pero bastó para asegurarle a Nadine que estaba protegida, y así fue.

Como Miguel tiene una espada de intensa luz que utiliza al servicio del Divino, emite mucho calor. Así que si sientes un intenso calor, es otro indicativo de que Miguel está contigo.

No es tímido, y cuando está presente, te lo deja saber, como descubrió Amber Armstrong.

Cuando sus amigas le sugirieron que viera la película *Michael*, Amber aceptó; después de todo, acababa de tener una visión del arcángel que se parecía a John Travolta. Sin embargo, nunca la había visto.

Amber llamó a la tienda de autoservicio de su colonia para preguntar si tenían la película, le

sorprendió que su llamada la tomara un hombre que dijo: "Habla Miguel, ¿en qué puedo servirle?".

Miguel, el empleado de la tienda, encontró una copia de la película en el almacén y no en los anaqueles. Amber se dirigió hacia allá de inmediato y la compró; ahora se siente más cerca del arcángel Miguel que nunca.

Las historias como la de Amber demuestran el estupendo sentido del humor que tiene Miguel.

Algunos han albergado ángeles sin darse cuenta

La famosa cita de Pablo en la que nos aconseja que tengamos cuidado cuando recibimos a desconocidos porque "algunos han albergado ángeles sin darse cuenta", se refiere al hecho de que algunas veces los ángeles adquieren apariencia humana para ayudarnos.

Cientos de personas me han contado de sus encuentros con un misterioso desconocido de mirada poco común, que pronuncia las palabras adecuadas o los rescata de alguna manera. Lo describen alto, bien vestido en ocasiones y mal en otras; también adopta diferentes razas; y con mucha frecuencia se presenta como "Miguel". Luego, este extraño desparece sin dejar rastro y nadie vuelve a verlo jamás.

Por ejemplo, la experiencia que tuvo Candace Pruitt-Heckstall, quien llevaba meses sin tomar el autobús. Cuando llegó a la parada con un clima helado, no estaba segura si el camión pasaría o si ya se había ido; y también le daba miedo bajarse en la estación equivocada para llegar a su destino.

Para tranquilizarse, Candace agradeció en silencio a Dios y al arcángel Miguel por enviarle rápido el autobús. Un segundo después, un hombre alto y agradable con unos ojos poco comunes, se detuvo a conversar con ella. Le impresionó que su mirada estuviera iluminada por la luz aun cuando él estaba de espaldas al tenue sol de invierno. Su presencia y sus palabras tranquilizaron a Candace y en breve desaparecieron sus angustias.

Antes de subirse al camión, se presentó con el hombre, quien le respondió que se llamaba Mike. Cuando se dio la vuelta para despedirse de él con la mano, ya no estaba. Candace está segura de que el arcángel Miguel envió a su homónimo para calmarla. Desde entonces, ya no siente ansiedad cuando toma el autobús.

Limpieza y protección

El arcángel Miguel es un maestro cuando se trata de trabajar con energías terrenales para protegernos y beneficiarnos. Esto es esencial para gente

sumamente sensible que recibe la energía de ⌐
o competitividad, por ejemplo, de otras personas o
que se encuentra en los edificios. Aquellos que son
muy sensibles suelen absorber las energías de otros,
como las esponjas el agua sucia.

Si eres demasiado sensible, entonces es posible
que tengas cambios de humor y de energía; un mi-
nuto estás animado y emocionado, y al siguiente
no puedes salir de la cama. La única manera de
estabilizar la energía y el humor es controlando el
campo energético, y Miguel puede ayudarte con
eso.

Siempre que te sientas cansado o deprimido,
es un indicativo de que absorbiste la energía de
miedo de alguien más, y es momento de decir, en
silencio o en voz alta: "Arcángel Miguel, por favor,
límpiame de adentro hacia fuera". Quizá sientas
cosquillas, escalofrío o piquetes cuando las energías bajas se liberan después de pronunciar esta petición.

Una vez que tu cuerpo esté en calma, di: "Arcángel Miguel, por favor, protégeme", como medi-
da preventiva, y entonces te envolverá en un
capullo de su luz morada o azul rey. Siempre pídele
a Miguel que te cubra antes de entrar en una situación difícil.

es muy evidente y está presente
na. Conforme trabajes con él, des-
n mentor, un compañero y un ser
damente confiable. En el siguiente
cap... onectaremos con el sanador del reino
de los ángeles, el arcángel Rafael.

RAFAEL

*Querido arcángel Rafael, gracias por
bañar a mis seres queridos y a mí con
tu luz sanadora del amor puro de Dios.*

A Rafael también se le conoce como: Azarias, Israfel o Labbiel.

El nombre Rafael significa: "Dios sana".

Desde hace mucho, a Rafael se le considera el ángel de
la sanación. Es posible que su nombre provenga
de la palabra hebrea *Rophe*, que significa "médico",
o *Rapach*, que quiere decir "Dios sana el alma".

   Como expliqué en mi libro *Los milagros sanadores del arcángel Rafael*, aunque no se le menciona en

la Biblia, los teólogos creen que fue el arcángel que curaba a los enfermos en el estanque de Bethesda descrito en las Escrituras. También se piensa que es uno de los tres ángeles que visitaron al patriarca Abraham y a su esposa Sarah para ayudarlos a concebir; así como el ángel que sanó a Jacob, nieto de Abraham, de sus heridas y que le dio el anillo mágico al rey Salomón.

En el catolicismo, es san Rafael, el patrón de los médicos, de los viajeros y de los casamenteros. Su nombre aparece en el Libro de Tobías; este escrito, también conocido como el Libro de Tobit, se perdió y después se redescubrió en los Manuscritos del Mar Muerto, en Qumrán, el templo de los antiguos esenios, en 1952.

El libro relata la historia de Tobit, un judío devoto y servicial que estaba tan desesperado cuando perdió la vista, que le pidió a Dios que lo dejara morir. La misma noche que Tobit elevó su plegaria, una mujer llamada Sarah también suplicó a Dios su muerte por el dolor de perder a siete esposos, quienes murieron en sus noches de bodas.

Y Dios respondió a las oraciones de Tobit y de Sarah enviándoles al arcángel Rafael en forma de humano. Rafael no se identificó como ángel, sino que se ofreció para proteger y guiar a Tobías, el hijo de Tobit, en el viaje que haría para reunir el dinero que le debían.

Rafael condujo a Tobías hacia Sarah, se enamoraron y se casaron. Usando pescado en su trabajo de sanación, Rafael ayudó a Tobías a eliminar a los demonios que mataron a los exesposos de Sarah; y utilizó un ungüento también de pescado para que Tobías sanara la ceguera de su padre. Mientras Tobit, Tobías y Sarah disfrutaban de su nueva vida, Rafael se encargó recolectar el dinero del primero. Una vez concluido su trabajo, el arcángel reveló su verdadera identidad y volvió al reino de los ángeles.

Su nombre también aparece en otro texto de los Manuscritos del Mar Muerto, el Libro de Enoc, donde en su labor en la Tierra se le describe como "uno de los ángeles sagrados, que cuida el espíritu de los hombres". En este libro, el Señor encomienda a Rafael la tarea de sanar a la Tierra del desastre causado por algunos ángeles caídos y gigantes; de amarrar y expulsar a un demonio; de ayudar a los niños y salvar al mundo de la corrupción. Hasta el día de hoy, el arcángel Rafael sigue concentrado en esa misión.

En las escrituras islámicas, a Rafael se le conoce como Israfel, el arcángel que está destinado a soplar un largo cuerno dos veces como señal de que llegó el día del Juicio Final. Cuenta la leyenda que su nombre original era Labbiel, y cuando apoyó a Dios para que creara a los humanos, el Señor premió al ángel cambiándole el nombre a Rafael.

Rafael, el ángel médico

El arcángel Rafael trae la luz de sanación de Dios a la Tierra. En una meditación, me contó que más que *sanar*, su misión consistía en *revelar* los cuerpos sanos con los que Dios nos creó. Para Rafael, todos estamos sanos en la verdad espiritual.

Sanaciones inmediatas

Gracias, arcángel Rafael, por sanarme completamente en este momento.

Cuado le pides a Rafael que alivie una enfermedad, la cura suele manifestarse al instante, pues nada más está esperando que le des permiso para hacer su trabajo de sanación.

Por ejemplo, Keiko Tanaka y su esposo viven en un pueblo canadiense muy pequeño, por lo que planean sus salidas a la gran ciudad para ir al banco, hacer compras y demás mandados en el mismo día. Al principio de una de esas ocupadas salidas, Keiko comenzó a sentirse muy mal y de inmediato pidió ayuda al arcángel Rafael. Con los ojos abiertos, Keiko vio una figura de luz ovalada color verde esmeralda del tamaño de un niño. Después de eso, ¡el malestar desapareció! Ella y su esposo disfrutaron el resto de su ocupado día, y Keiko le agradeció efusivamente a Rafael.

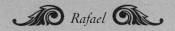

La luz esmeralda que Keiko vio es el aura del arcángel Rafael; su energía destella o brilla en tono verde intenso, que, curiosamente, es el mismo color que los místicos orientales ven en el chacra del corazón. Así, la luz verde esmeralda significa que Rafael está llenándote con energía de amor puro Divino.

A veces, la gente siente un suave zumbido, que es la energía que Rafael desprende cuando está sanándola; o ve luces verdes, como Keiko. Pero para los demás, como Elizabeth Macarthur, la sanación de Rafael es muy sutil.

Cuando Elizabeth le preguntó al médico por qué estaba cansada todo el tiempo, la diagnosticaron con apnea del sueño y le recomendaron que se fuera a la cama con una máscara de oxígeno. Le tomó un tiempo adaptarse a dormir así pero nunca logró acostumbrarse a cargar con la máquina cuando viajaba. Después de cuatro años usándola, Elizabeth estaba harta del ruido que hacía y de que se cayera cuando dormía.

Para entonces, Elizabeth descubrió que el arcángel Rafael podía sanar su enfermedad, así que le pidió ayuda. Poco después, la máquina empezó a descomponerse, pero el nivel de energía de Elizabeth era bueno aunque no dormía con la máscara. Se dio cuenta de que Rafael la había aliviado y ya no necesitaba el aparato.

Creo que Elizabeth fue sanada mientras dormía, lo que sucede con muchas personas que reciben la ayuda de Rafael. La razón es que cuando dormimos, estamos más abiertos al intenso amor que envía el arcángel.

Amy McRae, terapeuta con ángeles, le pidió al arcángel Rafael que la sanara mientras dormía. Ella descubrió este método un día que se sentía desequilibrada y agotada y no había ni familiares, ni amigos que la ayudaran. Entonces, Amy tomó una servilleta y decidió pedirle a Rafael que le diera una sesión completa de sanación mientras dormía. Amy durmió profundamente y se despertó sana y llena de energía.

Referencia a profesionales de la salud

Querido arcángel Rafael, por favor,
guíame hacia el mejor sanador para mi
estado y mi situación, y ayúdame
a conseguir una cita de inmediato.

Aunque es muy común que la sanación de Rafael sea inmediata, a veces conduce a la gente para que reciba tratamiento de parte de médicos y otros profesionales de la salud. En *Los milagros sanadores del arcángel Rafael*, está la historia de un hombre que, después de que le pidiera ayuda al arcángel para

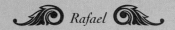

que lo aliviara, llegó a atenderse con un médico de nombre Rafael.

He recibido historias en las que Rafael crea sincronías que ayudan a la gente a encontrar el mejor sanador para su afección. Y como lo ilustra el siguiente relato de Therese Zibara Slan, también se asegura de que veas al sanador en el momento oportuno.

Therese siempre creyó en los ángeles, pero tuvo que vivir una crisis de salud importante para que de verdad descubriera cuánto nos aman y nos apoyan.

En el verano de 1999, estaba demasiado ocupada terminando informes en su trabajo como para ocuparse de su salud, aunque presentaba síntomas serios. Finalmente, su jefe y compañera de trabajo le insistieron para que fuera al médico, quien le ordenó que se hiciera unos análisis. Cuando llegaron los resultados, el doctor la llamó y le dijo que necesitaba ir al hospital de inmediato, ya que su estado de salud ponía en peligro su vida.

En urgencias había nueve pacientes antes que Therese, así que tomó asiento con calma a pesar de que estaba perdiendo el conocimiento. Sin embargo, no necesitó preocuparse, pues tuvo una visión clara en la que el arcángel Rafael sanaba personalmente a toda la gente que se encontraba en la sala de espera. Uno por uno, los nueve pacientes que estaban primero se fueron de urgencias antes de que el médico los viera, gracias a la experiencia que Rafael tiene en curar.

Cuando Therese fue ingresada, se desmayó e inmediatamente vio una intensa luz blanca y a su abuelo difunto, quien le informó que aún no era su hora. Los médicos y las enfermeras en servicio la revivieron, ya que Rafael aceleró el proceso de admisión en el hospital.

Control del dolor

Gracias, arcángel Rafael, por ayudarme
a sentirme bien y cómodo con mi cuerpo.

Rafael ayuda a reducir o a eliminar el dolor causado por enfermedades crónicas cortas. Repito, tienes que pedir su asistencia; así, indicas tu permiso para que intervenga.

He recibido muchas historias de personas que le piden a Rafael que las acompañe al consultorio del dentista, siempre con magníficos resultados. Por ejemplo, Kim Hutchinson casi cancela su cita porque las visitas anteriores fueron dolorosas emocional y físicamente. Además de que la limpieza lastimaba sus sensibles encías, el doctor siempre la ofendía preguntándole constantemente si de verdad usaba hilo dental con frecuencia (¡cosa que sí hacía!) por la mala salud de sus encías.

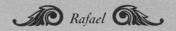

Conforme se acercaba la cita, Kim se sentía ansiosa y enferma, pero en vez de cancelar, llamó al arcángel Rafael. Le pidió una limpieza sin dolor, un dentista comprensivo y, lo más importante, encías y dientes sanos. Kim sentía que sus deseos eran sueños inalcanzables, pero pensó: *¿Qué puedo perder?*

Llegó la fecha de la cita y Kim iba con miedo. En silencio, no paraba de rezar pidiéndole a Rafael que la asistiera en la visita, y además de sentir su presencia, vio su energía verde cerca. Entonces, una dentista que Kim no conocía entró a la recepción y pensó: *Se ve muy amable. Por favor, Rafael, que me atienda ella.* Por supuesto, dijo el nombre de Kim. La dentista tenía voz suave y una manera agradable y tranquilizadora de tratar a la gente que a Kim le pareció reconfortante.

Cuando la mujer empezó a limpiarle los dientes, regresó la ansiedad. Se abrazó para no sentir dolor, ¡pero no había dolor! Poco a poco, se permitió relajarse. Después de que la dentista pulió y limpió con hilo dental sus dientes, le preguntó si lo usaba. Segura de que iba a cuestionar su credibilidad, Kim volvió a tensarse. Pero en vez de eso, la felicitó por la rutina del uso de hilo dental y del cepillado, y le dijo que las encías estaban mucho más sanas de lo que indicaba su historial.

¡Kim estaba eufórica! Por primera vez en cuatro años, recibió "aprobado" en el consultorio del dentista. Kim sintió la presencia de los ángeles y escuchó que decían en voz baja que la dentista era un ángel terrenal. Kim supo en ese instante que sus problemas dentales se habían terminado. El arcángel Rafael curó sus encías y alivió su fobia al dentista.

Asistencia en viajes

Gracias, arcángel Rafael, por ir conmigo
y mis acompañantes en nuestro viaje, ayudando
para que nosotros y nuestras pertenencias
lleguemos sanos y salvos a nuestro destino.

Desde su viaje con Tobías, a Rafael se le considera patrón de los viajeros. Como viajo con tanta frecuencia, puedo dar fe del talento de Rafael para que no se presenten inconvenientes en los viajes.

Los testimonio que he recibido, y mi propia experiencia, demuestran que puedes pedirle ayuda a Rafael para que aligere las turbulencias de los aviones, recibas cooperación por parte de los empleados de hoteles y aerolíneas, y recojas rápido el equipaje después de aterrizar.

Rafael también combina sus habilidades de sanador con los viajes para asegurar que estés bien

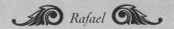

antes y durante tus vacaciones. Por ejemplo, Billie Quantrell y Chad, su esposo, estaban preparándose para tomar vacaciones cuando a él le dio un fuerte resfriado. Entonces, Billie le pidió ayuda al arcángel Rafael, y oró: *La lección que debamos aprender, por favor, apresúrala porque esta enfermedad está pasándole la factura a Chad*. Visualizó que la energía verde esmeralda de Rafael entraba al cuerpo de su marido a través del chacra de la corona, en la parte superior de la cabeza. Chad se recuperó rápido y pudieron disfrutar sus vacaciones.

Rafael es un médico viajero que hace visitas a domicilio en cualquier lugar del mundo donde te encuentres.

Esperanza y consuelo

Por alguna razón, algunos padecimientos de salud son persistentes. Llámalo karma, elección del alma o destino, pero parece que algunas personas no reciben la sanación completa cuando la solicitan. En estas situaciones, Rafael trabaja para asegurar el bienestar del individuo, reduce el dolor y mantiene a flote el ánimo.

Por ejemplo, durante los veinte años que Sarah McKechnie ha padecido una enfermedad autoinmune que pone en riesgo su vida, ha llamado a

Rafael para que la ayude a controlar el agudo dolor y el miedo a morir.

La presencia de Rafael llena de esperanza a Sarah en momentos de desesperación, y comenta: "Esta enfermedad me ha enseñado que la ayuda de los ángeles es real, porque en los instantes de gran sufrimiento, en los que lo único que puedo hacer es lanzarme a los brazos de ellos, siempre están ahí para sostenerme". Sarah está agradecida por la ayuda de Rafael. Aunque su enfermedad no desaparece, ha logrado encontrar paz, que es el mayor regalo de todos.

Sanando mascotas

Además de sanar y confortar a la gente, el arcángel Rafael también se encarga de los animales. Sana heridas y enfermedades en todo tipo de criaturas. Me he dado cuenta de que las mascotas responden muy rápido al trabajo sanador de Rafael. Beben la energía del arcángel como si fuera un elixir curativo, y como resultado recuperan la salud a la brevedad.

Debbie estaba devastada cuando su adorado Kiko, una mezcla de Akita con pastor, se rompió un ligamento de la pata. Mientras esperaba a que el veterinario abriera el consultorio, se sentó con el perro y les suplicó ayuda a Dios y al arcángel Rafael.

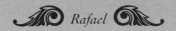

Por instinto, Debbie colocó la mano unos centímetros sobre la pata herida de Kiko. Dice que mientras le rezaba a Rafael pidiendo ayuda, "con mis ojos físicos abiertos, vi lo que puede describirse como un mini rayo de luz que emanaba de la palma de mi mano al muslo de Kiko". Agradeció con fervor a Rafael por validar su presencia y continuó enviando la energía sanadora al perro. (Recordarás que el aura de Rafael es verde, y que cuando la gente ve esa luz, es la señal de su presencia sanadora).

Luego, Debbie y Kiko se quedaron dormidos. Cuando despertaron una hora después, Debbie tembló de emoción al encontrar una hermosa pluma de color blanco y veinte centímetros de largo sobre la pata de Kiko.

No había más explicación, Rafael dejó una señal física de que el perro iba a estar bien. Y sí, porque no sólo se alivió su pata, también vivió hasta la edad de quince años, lo que es muy poco común en perros grandes. Debbie les da todo el crédito a Dios y al arcángel Rafael.

Rafael también procura la seguridad de nuestras mascotas cuidándolas cuando están lejos o fuera de la casa. Pídele que proteja a tus amadas mascotas. También puedes solicitarle que regrese a casa a los animales extraviados, pues es muy bueno para localizar perros, gatos y demás criaturas perdidas.

Por ejemplo, a los cuatro gatos de Ann McWilliam les gusta pasear en la calle durante el día, así que le pide al arcángel Rafael que no permita que se alejen y luego que los meta a su casa. Los gatos adoran la libertad de la naturaleza y les encanta volver a casa. Si Anna los pierde de vista, le pide ayuda a Rafael y los gatos aparecen para entrar emocionados y corriendo.

Guiando sanadores

Gracias, arcángel Rafael,
por guiar mi carrera de sanador
y ayudarme a dar bendiciones
a todo aquel con el que me encuentro.

Como santo patrón de los médicos, Rafael asiste a sanadores tradicionales y alternativos. Si sientes que tienes vocación para alguna de estas profesiones, solicita la ayuda de Rafael para elegir la rama de la sanación en la que sobresalgas y más disfrutes. Presta atención si algún libro cae misteriosamente de los libreros, pues suele ser una señal de Rafael.

Si lo requieres, el arcángel también te ayuda a elegir la escuela y a obtener el tiempo y el dinero para tu educación. Una vez que te gradúes, te asistirá con un consultorio u otro espacio para que te

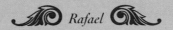
desempeñes en el área elegida. También interviene para atraer estupendos pacientes.

Cuando estés haciendo una sanación, pídele a Rafael que guíe tus palabras y tus acciones. Recibirás ideas intuitivas, visiones y sensaciones, que son la sabiduría sanadora de Dios enviada a través del arcángel.

Llamar a Rafael para que ayude a otra persona

*Querido arcángel Rafael, por favor,
asiste a [nombre de la persona]
y ayúdala(o) a que esté sano, contento
y fuerte. Por favor, guíame para
que yo también lo ayude.*

Puedes pedirle al arcángel Rafael que ayude a otra persona, y no violará su libere albedrío. Así, si el individuo no desea ser sanado por alguna razón, Rafael no usurpa su decisión. No obstante, se quedará a su lado porque tú se lo pediste, lo que tendrá efectos benéficos.

🔱

El arcángel Rafael suele trabajar conjuntamente con el arcángel Miguel para quitar el miedo y el

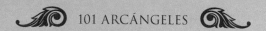

estrés, que son los principales factores que afectan la salud. Entre más trabajas con estos ángeles, más confías en ellos. En el siguiente capítulo, conoceremos a otro arcángel famoso, Gabriel.

Capítulo Tres

GABRIEL

*Querido arcángel Gabriel, gracias por enviarme
mensajes claros sobre [tema en cuestión] y por
guiarme y apoyarme para ser un mensajero
claro que ayude a los demás, como tú.*

A Gabriel también se le conoce como: san Gabriel, Jibril o Jiburili.

El nombre Gabriel significa: "La fortaleza de
Dios".

Gabriel es uno de los dos arcángeles que se nombran específicamente en la Biblia (el otro es Miguel).
En el Libro de Daniel, del Antiguo Testamento,

Gabriel se presenta ante Daniel para ayudarlo a entender las visiones que tiene del futuro. En los Evangelios del Nuevo Testamento, Gabriel aparece en el Libro de Lucas en las famosas escenas de la Anunciación, pues anuncia los nacimientos de Juan el Bautista y Jesucristo.

Cuando el arcángel le informa a Zacarías sobre su futuro hijo, Juan el Bautista, el hombre queda sorprendido porque creía que Isabel, su esposa, y él estaban muy mayores para concebir. El arcángel lo tranquiliza diciendo: "Yo soy Gabriel, que asisto ante el trono de Dios, y he sido enviado para hablarte y darte esta buena nueva". Poco después, Gabriel va con María y le dice: "Dios te salve, llena eres de gracia", y procede a describir a su futuro hijo, Jesucristo.

Gabriel también aparece en el apócrifo Libro de Enoc, como mensajero entre Dios y la humanidad.

En la fe islámica, el arcángel Gabriel reveló las palabras del Corán al profeta Mahoma.

El rol que tiene en las Escrituras enfatiza la misión de Gabriel como mensajero supremo de Dios, y como el santo patrón de aquellos que trabajan en las comunicaciones.

A través de los tiempos, los artistas han representado al ángel en la Anunciación y en otras imágenes con facciones femeninas, cabello largo, ropas

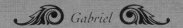

sueltas y, si prestas atención a las pinturas renacentistas, con figura de mujer. Quizá se deba a que Gabriel está íntimamente relacionado con situaciones femeninas Divinas como embarazo, nacimiento y comunicación.

Por supuesto, no hay manera de identificar a los ángeles a través del sexo, pues no tienen cuerpos físicos; no obstante, su energía es masculina o femenina según su especialidad, siendo el arcángel Miguel el ejemplo perfecto de la tradicional fuerza masculina. En contraste, Gabriel exuda fuerza suave, femenina, abrigadora.

Crianza de nuestros hijos

Arcángel Gabriel, gracias por
ayudarme a criar a mi amado hijo.
Por favor, cuida de mi pequeño y de mí,
procura nuestra salud y felicidad.

Gabriel y la Madre María trabajan muy de cerca para cuidar de los niños sensibles; guían concepciones, adopciones, embarazos, nacimientos y crianza de los hijos.

Por ejemplo, Diane Fordham descubrió que el arcángel Gabriel es sumamente solidario en la crianza de su hija de dos años. Cuando la pequeña hace berrinche y a Diane se le agota la paciencia, llama a Gabriel. Al instante, se siente rodeada de la tranquilidad que tanto necesita, lo que en consecuencia afecta de manera positiva a la niña. En poco tiempo, madre e hija están calmadas y sonriendo.

Hace poco, la pequeña estaba cansada y malhumorada, pero no se dormía; así que Diane le dijo a Gabriel: "Mi hija y yo necesitamos dormir, ayúdanos, por favor". Respiró hondo unas cuantas veces y sin pensarlo, se descubrió tarareando una canción de cuna que no cantaba desde que la niña era un bebé. La canción tranquilizó a la pequeña al instante, ambas cerraron los ojos y se quedaron dormidas.

Misión relacionada con niños

Querido arcángel Gabriel, por favor,
guíame hacia una carrera positiva
que me mantenga completamente mientras
llevo bendiciones a los niños del mundo.

Como a Gabriel le preocupa mucho el bienestar de los niños, el arcángel funge como mentor de adultos responsables y cariñosos que desean ayudar a los pequeños. Si sientes vocación para trabajar con niños en cualquier área, por favor, pídele a Gabriel que te asista.

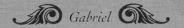

Mensajes claros

> *Gracias, arcángel Gabriel, por brindarme*
> *una guía clara sobre* [describe el tema].

Por lo general, a Gabriel se le representa con una larga trompeta de cobre, que simboliza el anuncio de los mensajes de Dios. Si necesitas un mensaje con detalles específicos, llama al arcángel Gabriel.

Como terapeuta con ángeles, Hilda Blair (cuya historia, en la que Miguel la protegió cuando iba al volante, se narró en el capítulo 1) sabe a qué arcángeles llamar para misiones específicas; por eso, cuando necesita mensajes claros, pide ayuda al ángel mensajero, Gabriel.

Un día, Hilda hizo justo eso cuando sintió que estaba lista para comenzar a salir con alguien después de una separación. A través de sus pensamientos y su intuición, recibió información de parte de Gabriel para que fuera al centro comercial y conociera a alguien. En broma, Hilda le dijo a Gabriel en voz alta: "¿Cómo? ¿Voy a ir caminando y un hombre me tocará en el hombro para preguntarme dónde está Sears?". A Hilda le causó gracia esta tontería, pero de todas maneras fue.

Cuando iba caminando en medio de un centro comercial, un hombre alto y bien parecido le tocó el hombro y le preguntó: "¿Podría decirme dónde está Sears?". Le impresionó tanto que su conversación con Gabriel se volviera realidad con tal exactitud, que lo único que pudo hacer fue sonreír y señalar en dirección a la tienda.

Hilda se dio cuenta de que Gabriel le había respondido con mucha claridad dónde conocería a un hombre. Por desgracia, para cuando se recuperó de la sorpresa, era demasiado tarde para localizar al tipo alto; no obstante, la experiencia la ayudó para entender que el arcángel *estaba* dándole mensajes claros y que continuaría haciéndolo en todas las áreas de su vida. La historia de Hilda también indica el sentido del humor y la impresionante creatividad de Gabriel.

Ayuda para otros mensajeros

Arcángel Gabriel, por favor, enséñame, guíame
y apóyame en mi carrera como mensajero
de [da detalles específicos] *y ayúdame a hacer*
brillar la luz y el amor Divinos en los demás
por medio de mi carrera.

Gabriel ayuda a los mensajeros terrestres, como profesores, terapeutas, escritores, artistas y actores. El arcángel actúa como agente y administrador celestial que te motiva a pulir tus habilidades. Así, abre la puerta de la oportunidad para que trabajes

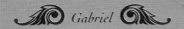

en la carrera elegida, y te da un cariñoso empujón si tienes dudas.

Antes de que la gente solicite la ayuda de Gabriel en su carrera, siempre les explico que este arcángel te impulsa y motiva para que trabajes arduo en tu vocación como mensajero, y las recompensas son increíbles. Recuerdo que una mujer le pidió que la ayudara a terminar su libro. Pues bien, ¡Gabriel se encargó de que pasara varios días y noches despierta hasta que quedó listo!

De igual forma, Gabriel inspiró a Barbara Hewitt para escribir. Una mañana que salía de la regadera, escuchó una voz que le daba siete títulos de libros. De inmediato supo que se trataba de libros infantiles que estaba destinada a escribir. Barbara se sentaba todos los días con un gran bloc de hojas y le pedía al arcángel Gabriel que la ayudara a escribirlos. Ante dicha solicitud, las ideas fluían y Barbara hizo los siete libros. Reconoce que Gabriel la guió para terminarlos. Dice que cada libro emana el amor de Dios.

No importa si tu trabajo como mensajero es escrito u oral, el arcángel Gabriel te guía. Por ejemplo, Kristy M. Ayala, una terapeuta con ángeles con maestría, era miembro de la facultad en una universidad de California. Disfrutaba dando clases de psicología a sus alumnos; sin embargo, ansiaba incorporar más espiritualidad a su carrera. Kristy estudió para convertirse en consejera espiritual y dejó su empleo para dar sesiones individuales. Disfrutaba haciéndolo, pero extrañaba la docencia.

Entonces, le pidió al arcángel Gabriel, el ángel que asiste a los profesores y a los mensajeros, que la guiara. Mientras meditaba y oraba, recibió el claro mensaje que de que podía hacer ambos trabajos, el espiritual y el docente. Así que Kristy le pidió a Gabriel que la ayudara a conseguir alumnos e instalaciones para dar clases y conferencias de nuevo, pero en esta ocasión sobre temas espirituales. Escuchó el mensaje de que tuviera fe porque así se le abrirían las puertas adecuadas.

Kristy dejó la situación entera en manos de Dios y del arcángel Gabriel, aunque no tenía ni idea de cómo manejar eso de ser maestra espiritual. Y justo como lo escuchó en su meditación, ¡las puertas comenzaron a abrirse para Kristy!

Recuerda: "La gente empezó a preguntarme si daría una plática sobre ángeles. Estaba muy contenta y muy sorprendida porque conocía a esas personas desde hacía tiempo y nunca me habían pedido algo similar". Kristy dijo que sí, ¡y su taller sobre ángeles fue un éxito! A partir de entonces, recibió más invitaciones para hablar sobre ángeles en escuelas y hospitales.

Kristy habla con Gabriel todo el tiempo, y el ángel le ha enseñado que puede vivir los elementos

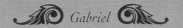

del trabajo que ama, y que no necesita intercambiar un aspecto por el otro. Gracias a Gabriel, Kristy tiene una carrera muy satisfactoria en la que hace lo que le gusta.

Gabriel también sabe que los medios de comunicación son un conducto para dar mensajes de amor; por eso, el arcángel te ayudará con mucho gusto a transmitirlos a través de televisión, periódico, revistas, libros, radio o Internet.

Por ejemplo, Karen Forrest estaba programada para salir en televisión en vivo para promocionar su libro, y le daba nervios no poder expresarse correctamente. Entonces, en silencio llamó a Gabriel y le pidió: *Arcángel Gabriel, por favor, libérame de la angustia y el nerviosismo que me causa la entrevista en vivo. Habla a través de mí durante ella para que no piense, ni me preocupe por lo que tengo que decir. Acompáñame, arcángel Gabriel, en cada paso del camino y funge como agente de relaciones públicas. Gracias, arcángel Gabriel.*

Luego de pensar estas palabras, Karen sintió que la invadió la paz y tuvo la sensación física de que el ala de un ángel le rozaba el hombro. ¡La angustia y el nerviosismo se fueron! Karen sabía en el fondo de su corazón que el arcángel Gabriel estaría a su lado durante la presentación en televisión.

Después de la entrevista, la presentadora comentó que había entrevistado a mucha gente y que

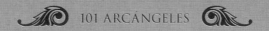

le impresionó lo relajada que Karen estuvo en el programa en vivo y lo fácil que había fluido su conversación.

Señales de Gabriel

Como se mencionó al principio, cada arcángel tiene un propósito específico, lo que significa que sus energías tienen vibraciones diferentes. Así como los colores vibran a distintas velocidades, varía el halo de los arcángeles.

El aura de Gabriel es color cobre, como su simbólica trompeta. Si ves luces o chispas de luz cobre, o si de repente te sientes atraído hacia este metal, es una señal de que estás trabajando con el arcángel Gabriel.

Una enfermera obstetra de nombre Carmen Carignan, quien asiste partos en agua en New Hampshire (y cuya historia también aparece en el Capítulo 1 porque el arcángel Miguel cuidó su maleta), vio las "señales" cobre cuando pidió la ayuda de Gabriel.

Cuando Carmen quiso abrir un consultorio, llamó al arcángel Gabriel para que la guiara. Ella sabía que Gabriel, como el ángel de la comunicación, suele anunciar lo que hay en el horizonte y actúa como representante o agente para organizar nuevas aventuras relacionadas con la misión del alma de cada individuo.

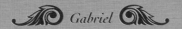

De inmediato, Carmen recibió la señal de que Gabriel estaba ayudándola. Primero, encontró plumas de color anaranjado cobrizo en dos ocasiones, sin que hubiera explicación lógica para ello. La segunda señal fue una foto revelada en la que Carmen aparece junto a una esfera en forma de ángel blanca con cobre. ¡El ángel de la fotografía se veía con tanta claridad, que hasta lo comentó la gente del laboratorio de revelado!

Y la tercera *y muy emocionante* señal fue cuando un masajista llamó a Carmen por teléfono para decirle de un consultorio accesible en una clínica, que estaba vacío y listo para rentarse. Carmen supo que el arcángel Gabriel hizo que el masajista se enterara del consultorio y de su deseo, y buscara su número telefónico. Nada fue coincidencia, y este milagro superó las expectativas de Carmen.

Comenta: "Cuando me entregué a la asistencia de este ángel de la comunicación, todo se acomodó en su lugar sin mayor esfuerzo y muy rápido. ¡Sigo sorprendida!"

Por supuesto que Gabriel trabaja contigo en el instante en el que se lo solicitas, aunque no veas las señales. Una mujer llamada Maryne Hachey estaba desesperada por ver a Gabriel y a los demás ángeles. Había tratado de comunicarse con ellos y había hecho los ejercicios del libro *Visiones de ángeles*, pero se dio cuenta de que estaba insistiendo demasiado para verlos. Por suerte, una noche su mente se relajó tanto mientras dormía, que pudo interactuar claramente con el arcángel Gabriel.

En el sueño, Maryne estaba parada debajo de un hermoso cerezo en floración, en una calle que no tenía ni principio ni fin. El sueño fue tan real, que hasta podía oler las flores y sentir la brisa en la piel. El aire llevaba flores y plumas por la calle, y el corazón de Maryne se llenó de una profunda sensación de amor.

Entonces, apareció un ángel femenino largo, de cabello rubio y alborotado, que iba acompañado de otros tres ángeles. El ángel grande le ofreció la mano a Maryne y le dijo:

—Vas por el camino correcto.

—¿Quién eres? —Maryne preguntó con lágrimas de gratitud que se le resbalaban por el rostro.

—Gabriel —respondió el ángel femenino, y las flores se convirtieron en plumas blancas que cayeron en el suelo donde estaba parada Maryne.

En eso, se despertó llena de alegría y emoción, con la certeza de que el arcángel la bendijo con amor.

✦

Gabriel es un ángel tenaz y trabajador que fomenta la misma ética profesional en aquellos quienes

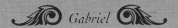

solicitan su ayuda. En el siguiente capítulo, nos co-
nectaremos con el arcángel Uriel, quien nos dará
estupendas ideas y comprensión.

Capítulo Cuatro

URIEL

Arcángel Uriel, gracias por darme
información, ideas y comprensión sobre
[tema del que quieres saber más].

A Uriel también se le conoce como: Aretziel, Auriel, Nuriel o Fanuel.

El nombre Uriel significa: "la Luz de Dios".

Cuando la gente piensa en arcángeles, suelen incluir a Uriel en la lista; no obstante, parece que es el más misterioso y escapa a las claras definiciones concedidas a Miguel, Rafael y Gabriel.

Uriel es nombrado en los evangelios gnósticos cristianos, así como en el apócrifo Libro de Esdras 2, donde enseña al profeta Ezra el significado de la información esotérica y las respuestas a preguntas metafísicas, lo que ayudó a Ezra a mantener conversaciones elocuentes con Dios.

En el Libro de Enoc, Uriel es uno de los arcángeles que protegió a la humanidad de los Vigilantes (un grupo de ángeles caídos) y que guió al profeta Enoc, quien más tarde ascendió al reino de los ángeles como Metatrón.

El papa Zacarías revocó la santidad de Uriel en el año 745, pues sólo permitía el título a los ángeles que aparecían en las escrituras canónicas (Miguel, Rafael y Gabriel). Sin embargo, la iglesia anglicana continúa venerando a Uriel como el santo patrón del sacramento de la confirmación.

La teología cristiana sostiene que Uriel rescató al pequeño Juan el Bautista de la "masacre de los inocentes", y continuó guiándolos a él y a Isabel, su madre, cuando salieron de Egipto.

En pinturas y en la teología cristiana, el arcángel Uriel es representado como querubín. En mis visiones, es más bajo y más regordete que el resto de los arcángeles. Como "la Luz de Dios", suele portar una linterna que emite una luz de vela amarilla pálida.

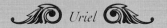

El arcángel intelectual

Querido arcángel Uriel, por favor,
ayúdame a concentrarme para
recibir el conocimiento, la sabiduría
y la comprensión que necesito.

Uriel ilumina nuestra mente con información, ideas, epifanías y comprensión. Me recuerda a un viejo tío sabio. Lo mejor es que lo llames cuando necesites soluciones, como en reuniones de trabajo, cuando estás escribiendo, estudiando o presentando un examen. Te susurrará las respuestas correctas y adecuadas al oído, y las recibirás como palabras o pensamientos que se "descargan" de repente en tu mente. Después de pedir la intervención de Uriel, presta atención a tus pensamientos. Confía en que son la respuesta correcta que te envía el arcángel directamente.

Karen Forrest (cuya experiencia con el arcángel Gabriel se describió en el capítulo anterior) llama al arcángel Uriel para que la ayude a recordar nombres y demás información. Hace poco, una mujer de aspecto conocido se le acercó en su taller; sin saber cómo dirigirse a ella, en silencio Karen le preguntó a Uriel: *¿Cómo se llama?* De inmediato, escuchó *Lynda* en su cabeza, y pudo saludar a la mujer con su nombre correcto.

En otra ocasión, una amiga le recomendó un libro, pero Karen no tenía una pluma para escribir el título; así que le pidió a Uriel que se lo recordara y pronto olvidó del tema. Dos semanas más tarde, cuando Karen estaba en una librería, la intuición le dijo que buscara en cierto anaquel en la parte de abajo. Aunque solía pasar de largo de las repisas inferiores porque no le gustaba agacharse, Karen escuchó a la intuición. Por supuesto, ¡ahí estaba el libro que le había recomendado su amiga! El cual resolvió muchas de sus dudas espirituales.

Así que puedes llamar a Uriel para que guíe tus aspiraciones intelectuales. Trabaja en conjunto con el arcángel Zadkiel para ayudar a los estudiantes a destacar en los exámenes y en la escuela.

Radleigh Valentine descubrió que el arcángel Uriel era su guía principal cuando tomó mi curso Practicante de Terapia con Ángeles, hace varios años. Ahí, conduje a los asistentes a una meditación en la que llamé a cada uno de los quince arcángeles por orden alfabético.

Conforme los nombré y medité con cada uno, Radleigh no sintió nada, hasta que llegué con Uriel. En cuanto mencioné el nombre del arcángel, Radleigh vio una explosión de luz dorada, como si el suelo se hubiera convertido en brillo dorado y una luz iluminara media sala. ¡Prácticamente escuchó

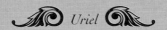 *Uriel*

cantar a los ángeles! Y cuando seguí con el arcángel Zadkiel, toda esa música y esa luz se alejaron de Radleigh.

Como el resto de los participantes, Radleigh tuvo sesiones de lectura con las cartas del oráculo y todas indicaban la presencia del arcángel Uriel en su vida. Ahora, trabaja personal y profesionalmente con él; por ejemplo, lo ayudó a terminar una relación con amor y tranquilidad; también lo asistió en una conferencia frente a cientos de personas, de las que recibió importante retroalimentación. Así mismo, Uriel estuvo a su lado en el transcurso de otros cambios positivos en su vida, como dejar una situación laboral dañina. Ahora, Radleigh llama a Uriel el "arcángel de la epifanía" porque siempre le brinda estupendas ideas y guía.

Así como Uriel conduce los discursos públicos de Radleigh, también asiste las conversaciones que sostiene con las personas. La terapeuta con ángeles Melanie Orders (cuya historia de la ayuda que el arcángel Miguel le brindó para abrir su consultorio de masajes se narra en el Capítulo 1) llama al arcángel Uriel cuando trabaja con personas negativas o con baja autoestima. Melanie le pide a Uriel que guíe las palabras que dice a sus pacientes, y siempre la ayuda a elegir aquellas que los hacen sentir bien consigo mismos. Melanie dice que Uriel la ha guiado para desarrollar una mejor comunicación con la gente que la rodea, y eso la ha convertido en una persona más amable y más diplomática.

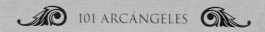

El arcángel Uriel nos conecta con la sabiduría infinita de Dios y nos asiste para que nos concentremos en nuestras aspiraciones intelectuales. En el siguiente capítulo, nos pondremos en contacto con el arcángel Chamuel, que nos ayuda a localizar lo que estamos buscando.

Capítulo Cinco

CHAMUEL

Gracias, arcángel Chamuel, por llenarme de paz
Divina pura para que repose en el conocimiento
de que Dios y tú nos cuidan a todos.

A Chamuel también se le conoce como: Camael, Camiel, Camiul, Camniel, Chamael, Kamael, Khamael o KMAL.

El nombre Chamuel significa: "el que ve a Dios".

Chamuel es uno de los siete arcángeles de los escritos de Pseudo Dionisio, del siglo V, sobre la jerarquía celestial. A veces, se le confunde con Samael, un "ángel" con inclinaciones oscuras y destructivas. Es posible que la confusión tenga su origen en el sonido de sus nombres, que es similar; pero quédate tranquilo, Chamuel es completamente la luz de Dios.

En la Cábala, Chamuel (como Kamael) es el arcángel del *Geburah*, el quinto séfira (aspecto de Dios) del Árbol de la Vida, que denota fortaleza y coraje a través de la severidad. Los cabalistas consideran a Chamuel (Kamael) un serafín, que es el nivel más elevado de los coros de ángeles.

Como "el que ve a Dios", Chamuel tiene visión omnisciente y mira la conexión entre todo y todos. Parte de su misión sagrada es la manifestación de paz universal, ayudando a que los individuos tengan paz interna, incluso en épocas turbulentas.

Chamuel utiliza su visión para asegurar tu paz y la de los demás, ayudándote a encontrar lo que estás buscando. Desde su privilegiado punto de vista, distingue la ubicación de los objetos perdidos y las soluciones a los problemas. Aunque se encuentra en un nivel sumamente alto, Chamuel es muy realista y accesible, como un gran hombre que no pierde la humildad.

Chamuel, el ángel que encuentra

Querido arcángel Chamuel, gracias por guiarme para encontrar lo que estoy buscando, entre ello [da detalles específicos de tu búsqueda].

La mayoría de las cartas que recibo es de personas que han tenido fuertes experiencias con el arcángel

Miguel, que los cuida y los protege; con el arcángel Rafael, que los sana; y con el arcángel Chamuel, que los ayuda a encontrar algo (en este orden descendiente).

En este sentido, el arcángel Chamuel cumple un papel similar al de san Antonio en el catolicismo, quien también nos ayuda a reunirnos con los objetos perdidos. Ambos son impresionantemente hábiles para devolver queridas reliquias como argollas de matrimonio.

Si crees que molestas a este ángel pidiéndole que te ayude a encontrar las llaves del auto o los anteojos, permíteme decirte que a Chamuel le encanta ayudar. Tiene encomendada la misión poderosa de crear la paz universal, y parte de ese plan es reducir el estrés de los humanos. Así que si estás tensionado porque perdiste algo, quédate con la tranquilidad de que Chamuel desea ayudarte. Para él, es fácil localizar objetos perdidos porque desde donde está lo ve *todo*.

Chamuel puede ayudarte a encontrar tu misión; un mejor empleo o casa; la relación adecuada; y cualquier cosa, esotérica o tangible, que pidas, siempre y cuando esté dentro del sendero de tu yo superior. Él sabe lo que Dios tiene reservado para ti, así que solicita su intervención y Chamuel se encargará del resto.

A continuación, leerás algunos ejemplos de las misteriosas formas en las que Chamuel ha ayudado a la gente a localizar lo que busca.

Cuando Amanda Peart compró un bolso nuevo, se deshizo del viejo; por desgracia, un par de días después de que vaciara la bolsa nueva por completo, se dio cuenta de que su iPod se había quedado en la vieja, que ya se había llevado la basura.

Muy alterada, Amanda le pidió al arcángel Chamuel que la ayudara. Al día siguiente, en el supermercado, abrió su bolso y quedó impresionada al ver su iPod. Dice: "Estoy absolutamente segura de que mi iPod no estaba ahí porque literalmente vacié mi bolso en el suelo desesperada y enojada porque lo había perdido".

La historia de Amanda es de las típicas que recibo de Chamuel, en las que el artículo perdido reaparece de manera misteriosa. Yo sí creo que los ángeles nos devuelven las cosas cuando le pedimos a Chamuel que las busque.

También puedes llamar a Chamuel en nombre de otra persona, como lo descubrió Nicholas Davis.

El compañero de cuarto de Nicholas tenía unos lentes de sol muy caros que atesoraba porque le había costado mucho tiempo encontrar el par adecuado; y un día, ¡los perdió! Nicholas y su compañero buscaron por toda la casa, pero no estaban.

Entonces, Nicholas recordó que el arcángel Chamuel ayuda a encontrar objetos perdidos, así que con toda la fe le pidió que los lentes de sol volvieran a manos de su amigo.

Al día siguiente, Nicholas se levantó para prepararse e irse a trabajar, incluso había olvidado el incidente, hasta que vio a su amigo portando feliz sus lentes. Nicholas preguntó:

—Creí que los habías perdido, ¿dónde estaban?

—¡Es un milagro! Hoy en la mañana que me levanté, estaban en la mesa del comedor. Por favor, no me preguntes cómo o por qué llegaron ahí, porque no puedo responder a esas preguntas, ¡simplemente estaban ahí! —respondió su amigo.

Pero en el fondo, Nicholas sabía que el arcángel Chamuel había hecho el milagro, y los *hace* todos los días.

Cuando le pidas a Chamuel que busque algo, presta mucha atención a pensamientos, ideas, visiones y sensaciones que recibas, porque así Chamuel te informa dónde encontrar el objeto perdido. Puede decirte que busques en un lugar que parece ilógico porque ya revisaste muchas veces; pero hazlo de todas maneras, pues quizá los ángeles te conducen ahí.

Gillian y Gary Smalley adoran hablarle a la gente de la increíble capacidad del arcángel Chamuel para encontrar cosas perdidas. Ellos conocen esa habilidad porque Chamuel halló sus artículos extraviados. La primera vez sucedió cuando perdieron una cinta de audio importante. Luego de que Gillian solicitara la guía de Chamuel, no dejaba de pensar que tenía que buscar en la segunda repisa de un estante de la cochera; pero sabía que ya lo había revisado, e hizo caso omiso de la guía hasta que una voz le dijo: "Vuelve a ver". Y cuando revisó, ¡encontró la cinta!

La segunda ocasión fue cuando el negocio de la pareja era amenazado con una demanda y necesitaban pruebas para respaldar su defensa. Por desgracia, habían desechado esos documentos un par de años atrás. Entonces, Gillian le dijo a Gary: "Nada se pierde a los ojos de Dios, por lo tanto le pediré al arcángel Chamuel que los encuentre".

Cuando el matrimonio visitó al hermano de Gary y empezaron a hablar de la demanda, su cuñada dijo:

—Por cierto, miren lo que encontré. No sé que hace esto aquí —eran los papeles que los Smalley habían tirado. Chamuel protegió a Gillian y Gary de la demanda.

Chamuel te ayuda a encontrar *todo*, siempre y cuando tengas la disposición para escuchar y seguir su guía, como lo descubrió Michael Muth. Cuando necesitó su diccionario de alemán, automáticamente fue al sitio donde siempre lo guardaba, pero no estaba ahí. Entonces, buscó en toda la habitación, sin señales del diccionario; luego, en la sala, en la cocina, en el balcón y en el baño.

Michael recordó que el arcángel Chamuel encuentra objetos perdidos, así que decidió pedirle ayuda. En unos minutos, recibió la respuesta, era como la "certeza" de que el diccionario estaba en su recámara, ¡y por supuesto que sí!

Igual que un satélite, Chamuel ve toda la Tierra, por eso es un magnífico acompañante si te sientes solo o perdido. Chamuel te guiará sano y salvo a tu destino, como lo ilustra la historia de Timothy.

Cuando Timothy llegó a la estación de tren de un poblado desconocido ya entrada la noche, no sabía dónde se encontraba su hotel. No había taxis, así que empezó a caminar. Y como no había nadie cerca para pedirle indicaciones, Timothy le pidió al arcángel Chamuel que por favor lo llevara al hotel.

Después de eso, Timothy anduvo vagando con la esperanza de encontrar a alguien que le indicara el camino correcto. Imagina su sorpresa cuando llegó directo al hotel sin haber tomado las calles equivocadas. Sin tener la menor idea de qué dirección seguir, Timothy entró caminando por la puerta principal de su destino.

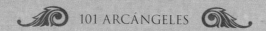

Si estás buscando a tu alma gemela, un mejor empleo, o la ubicación de las llaves del auto, Chamuel utiliza su visión celestial para ayudarte. En el siguiente capítulo, trabajaremos con el arcángel Ariel, quien nos conectará más íntimamente con la naturaleza.

Capítulo Seis

ARIEL

*Querido arcángel Ariel, por favor,
ayúdame a conectarme con el espíritu
y el poder sanador de la naturaleza.*

A Ariel también se le conoce como: Arael y Arieael.

El nombre Ariel significa: "el león o la leona de Dios".

El arcángel Ariel aparece en escritos coptos, apócrifos y judeocristianos místicos como supervisor de la naturaleza y regulador del infierno; en este último, su papel es el de castigar con severidad a aquellos que entran a la oscuridad.

La asociación de Ariel con el espíritu de la naturaleza fue inmortalizada por Shakespeare, quien representó al arcángel como duendecillo de los árboles en *La tempestad*. En la obra, Ariel adquiere conocimientos secretos en nombre del mago Próspero.

En el capítulo bíblico de Isaías, hay una referencia a una ciudad de Tierra Santa que se llama Ariel, la cual los teólogos creen que representa a Jerusalén, porque se dice que ahí vivió el rey David.

Ariel aparece en el arte como una pequeña hada femenina que ilustra *La tempestad*, de Shakespeare, y como delicado y joven ángel afeminado en los *Arcángeles de Sopó* del siglo XVII, Colombia; el lienzo se llama "Ariel, comando de Dios", aunque no proyecta agresividad alguna.

El género de este ángel es controversial, aunque al final no es tan importante en comparación con los vastos recursos que nos ofrece Ariel. Además, igual que el resto de los ángeles, no tiene cuerpo físico, por lo que básicamente es asexual o andrógino; no obstante, sus especialidades y su energía exudan feminidad, por lo que siempre me dirijo a Ariel como arcángel femenino.

Ariel es un ángel sanador que trabaja conjuntamente con el arcángel Rafael, sobre todo cuando se trata de ayudar a aves, peces y demás animales.

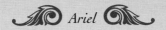

Misiones relacionadas con el medio ambiente

*Gracias, arcángel Ariel, por guiarme hacia la
mejor manera de ayudar al medio ambiente".*

Se cree que el arcángel es el líder de las Virtudes, el
coro de ángeles que rige el orden del universo físico, que cuida al sol, la luna, las estrellas y todos
los planetas, incluida la Tierra. Por esta razón, Ariel
está íntimamente involucrado en el medio ambiente. Si te sientes atraído a trabajar en áreas que
protegen la ecología, los océanos, la calidad del
aire o los animales, entonces Ariel puede ayudarte.

Cuando Susan[*] era pequeña, tenía una conexión natural con el medio ambiente; incluso
pedía a sus padres que revisaran las habitaciones
de la casa y cambiaran los productos de limpieza
tóxicos, así como aquellos que consumían dema-
siada energía por alternativas más amables con el
ambiente. Por consiguiente, tiene perfecta lógica
que ahora, ya adulta, Susan haya desarrollado una
relación con el ángel de la ecología, el arcángel
Ariel.

Por ejemplo, Susan se sintió fuertemente guiada por Ariel para continuar con su trabajo ambiental a gran escala, y como no sabía cómo hacerlo, le
pidió ayuda. Susan sintió la respuesta del arcángel

---

[*] El nombre fue cambiado a solicitud de la persona.

en forma de intuición: *Si confío en mi equipo de ángeles, todo lo que necesito llegará a mí.*

Por supuesto, Susan comenzó a ver señales repetitivas que le indicaban que tenía que participar en la restauración del parque de su comunidad. Descubrió que debía recaudar fondos para esa causa, pero no sabía cómo. Entonces, Ariel le mandó guía e indicaciones específicas para crear un proyecto, en el cual todos tendrían que dar un cuadro de veinticinco centímetros que representara su relación personal con la naturaleza. Susan rifó la colcha que se hizo con los cuadros el día de la Tierra (22 de abril) y donó las ganancias para la restauración del parque. Hizo caso de la visión y de su intuición, y sigue en contacto con Ariel por este proyecto ambiental y otros más.

Manifestación de recursos

Querido arcángel Ariel, por favor, asiste a mi familia y a mí para que contemos con los recursos y el apoyo que necesitamos para llevar una vida sana y feliz.

Al ser el ángel de los recursos naturales de nuestro planeta, Ariel, como parte de su misión, se asegura de que las personas y los animales reciban un trato justo; por eso trabaja para que haya suficientes alimentos sanos, agua limpia, casas adecuadas y demás

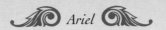

recursos necesarios. Por lo tanto, pídele a Ariel que te ayude a satisfacer tus necesidades terrenales.

Cuando Amy Moray estaba barajando sus *Cartas del oráculo de arcángeles*, voló la carta del arcángel Ariel, que tiene el mensaje de "Prosperidad". Se quedó dormida meditando las palabras de la carta y la hermosa imagen de Ariel cargando el cuerno de la abundancia. Dormida, Amy vio y sintió que Ariel la bañaba con el flujo de prosperidad.

Entonces, Amy le dio el crédito a Ariel cuando al día siguiente recibió la noticia de que se había ganado una laptop en un concurso al que olvidó que había entrado. Y lo curioso es que el concurso se trataba de cómo dejar de usar papel, un tema muy amigable con el ambiente que Ariel apoyaría sin duda.

Conectando con la naturaleza

*Gracias, arcángel Ariel,
por ser mi guía en la naturaleza.*

Ariel también puede asistirte para que interactúes con la naturaleza de manera cómoda y segura. Es el mejor ángel al que puedes llamar cuando sales de excursión o de campamento, por ejemplo. Y como lo descubrió una mujer de nombre Ann McWilliam, Ariel también ayuda en las parrilladas.

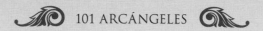

Pequeños insectos andaban rondando la parrillada de Ann cuando estaba asando hamburguesas vegetarianas. No quería usar insecticida, así que llamó al arcángel Ariel para que la ayudara, ya que es el ángel de la naturaleza.

Anna dijo: "¡Arcángel Ariel, por favor, ayúdame a encontrar una forma de deshacerme de estos insectos sin lastimarlos!".

En segundos, la palabra *vinagre* saltó en la mente de Ann. Dudó del mensaje un instante, pero este se repitió; así que Ann roció la parrilla con vinagre y los insectos se alejaron y ya no se acercaron.

Si se lo pides, el arcángel Ariel también te introduce al lado no físico de la naturaleza. Si siempre has querido comunicarte con las hadas y otros seres de la naturaleza, dile a Ariel que sea tu guía. Te ayudará a navegar por los reinos de los espíritus de la naturaleza para que conozcas a los seres buenos que habitan en jardines, parques, flores, árboles y cuerpos de agua.

Ariel también sana a mamíferos, aves y peces domésticos o silvestres. Muchas veces he sostenido en mis manos pájaros heridos y pido la asistencia de Ariel. En minutos, el ave recupera su fuerza vital y su capacidad para volar.

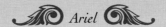
Por su conexión con la naturaleza y el medio ambiente, el arcángel Ariel juega un importante papel en la salud de nuestro planeta. En el siguiente capítulo, nos pondremos en contacto con el profundo y místico arcángel Metatrón, que nos asiste en situaciones importantes.

Capítulo Siete

METATRÓN

Querido arcángel Metatrón, por favor, ayúdame a profundizar mi relación con Dios y guíame para que sienta y comprenda el profundo amor del Divino.

Metatrón es uno de los dos arcángeles cuyos nombres no terminan con el sufijo *el*, que significa "de Dios". Eso es porque Metatrón y Sandalfón fueron profetas humanos que tuvieron vidas tan piadosas, que fueron recompensados con la ascensión al reino de los arcángeles.

No existe una opinión generalizada sobre el origen del nombre Metatrón, ni registros de que se llame de otra manera. En el Talmud, el Zohar y el apócrifo libro de Enoc hay referencias a Metatrón como el "YHVH menor" (YHVH es Dios en hebreo), el escriba que está sentado al lado de Dios. Algunos

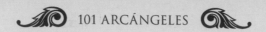

rabinos creen que en el Éxodo, cuando Dios dice que obedezcan al ángel que encabeza la salida en masa "porque lleva Mi nombre", se trata de Metatrón.

Aunque Metatrón no aparece en la Biblia canónica, la ascensión de Enoc (que perteneció a la séptima generación después de Adán, era hijo de Jared y bisnieto de Noé) se describe en el Génesis. Ahí, se afirma que Enoc, de trescientos sesenta y cinco años de edad, caminó con Dios, y que dejó de existir porque Dios se lo llevó. Después, en Hebreos, se dice que Enoc no experimentó la muerte y que su cuerpo no se encontró porque Dios lo llevó consigo.

El Zohar, místico libro judaico, describe a Metatrón como "el arcángel más elevado, el de mayor estima entre todos los ángeles de Dios". Se dice que Metatrón rige todo, las cosas vivas de arriba y las cosas vivas de abajo, y es el mediador entre el Cielo y la Tierra.

El cubo de Metatrón

Gracias, arcángel Metatrón, por utilizar
tu cubo sanador para purificar la energía de mi
mente, de mi cuerpo y de mis emociones.

A Metatrón se le relaciona con el *Merkaba*, que describe la Torá, en el libro de Ezequiel, como el

trono-carroza de Dios. El carro está hecho de ángeles y los serafines le dan potencia con sus rayos de luz. En el Libro de Enoc, Metatrón es el encargado del Merkaba. También se dice que el séfira Árbol de la Vida, en la Cábala, es una carroza Merkaba para el sendero espiritual. Metatrón preside la primera esfera de los séfiras.

Hoy, la asociación de Metatrón con el Merkaba ahonda en la "geometría sagrada". El vehículo del Merkaba ahora se describe como una compilación de sólidos platónicos, que representan la base de la materia física, y al que llamamos "Cubo de Metatrón" o la "Flor de la vida".

El arcángel Metatrón usa el cubo Merkaba para sanar y limpiar las energías bajas; éste gira en el sentido de las manecillas del reloj y usa fuerza centrífuga para sacar los residuos de la energía no deseada. Llama a Metatrón y a su cubo sanador para limpiarte. Su aura es de color rosa profundo y verde oscuro.

Como sensible trabajador de la luz, Sue Tanida absorbe energías emocionales y físicas de la gente que la rodea, las cuales afectan su humor y el nivel de su energía, pero está tan ocupada con su carrera que no siempre tiene tiempo para meditar y realinear su propia energía.

Por eso, fue un alivio para ella descubrir que llamar al arcángel Metatrón resulta de gran ayuda; simplemente dice: "Por favor, Metatrón, usa tu cubo para volver a alinear mi energía y llévate lo que no me pertenece, ni me sirve".

Sue siente y ve, con clarividencia, al arcángel usando su "cubo" como si fuera una escobetilla para desbloquear sus líneas de energía. El cubo entra con fuerza por la corona de la cabeza de Sue, baja por la columna vertebral y sube llevando consigo la suciedad que absorbió. Así, el arcángel purifica la energía baja y Sue se siente fresca y renovada.

Igual que Sue, Natalia Kuna aprendió hace poco que puede limpiar rápidamente los centros de energía de su cuerpo llamando al arcángel Metatrón,

así que decidió intentarlo un día. Primero, se relajó y pensó en el ángel, pidiéndole en silencio que limpiara sus chacras.

De inmediato, Natalia sintió que Metatrón le entregó una bola de energía, y de manera intuitiva, supo cómo usar las manos para deslizarla por cada chacra. Al hacerlo, sentía cómo se elevaba y cambiaba la energía de los mismos. Sobre todo, percibió un nítido zumbido y calor cuando la pelota se acercó al chacra del corazón y disolvió el dolor viejo.

Natalia quedó muy contenta con la experiencia, ya que no sólo limpió y sanó sus chacras, su cuerpo y su mente, también estimuló su confianza en la intuición, algo que había estado pidiendo.

Como escriba de Dios, Metatrón, con su geometría sagrada, es maestro del conocimiento esotérico. Si quieres adquirir conocimientos de alto nivel, el arcángel Metatrón y el arcángel Raziel (a quien conocerás en el Capítulo 12), son estupendos maestros.

Por ejemplo, la psicoterapeuta Sandra Guassi se dio cuenta de que había llegado a los límites de lo que la psicología podía enseñarle de la vida y del universo, así que empezó a estudiar temas místicos como numerología, astrología y esoterismo antiguo.

Poco después, Sandra meditó para comunicarse con su ángel de la guarda; en silencio, preguntó

su nombre y escuchó con claridad: "Metatrón". El nombre resonó en su interior con tanta fuerza, que el cuero de todo el cuerpo se le puso de gallina. La energía de esta conexión fue tan fuerte, que Sandra empezó a llorar de alegría.

En cuanto abrió los ojos después de terminar la meditación, comenzó a cuestionarse la validez del mensaje, pues no sabía si Metatrón de verdad había estado con ella. La respuesta la recibió con una guía, en la que se le alentó a que trabajara con la numerología con el nombre de Metatrón, y lo comparara con su propio nombre. Quedó impresionada al descubrir que su nombre y el de Metatrón contenían en mismo sendero numerológico. Con esto, Sandra aceptó la realidad de que este arcángel era su ángel de la guarda. Desde entonces, se volvió terapeuta con ángeles y desarrolló un lazo íntimo con Metatrón y otros ángeles.

El arcángel Metatrón comprende la maleabilidad del universo físico, que en realidad está formado de átomos y energía mental. Puede ayudarte a trabajar con las energías universales para sanar, comprender, enseñar e incluso controlar el tiempo.

Amy McRae aprendió a confiar en el arcángel Metatrón para llegar a sus citas a tiempo. Por experiencia sabe que él puede controlar el tiempo y el espacio. Aun cuando sabe que va a llegar tarde, de alguna manera el arcángel la conduce a su destino

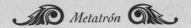

con rapidez, sin acelerar y por lo general con mucho tiempo de sobra. Amy ha tenido tanto éxito controlando su tiempo con el arcángel Metatrón, ¡que ahora su papá lo llama "san Timex"!

El ángel de los niños sumamente sensibles

Querido arcángel Metatrón. Por favor, cuida a mis hijos y guíame hacia la mejor forma de ayudarlos a desarrollar y a conservar sus dones espirituales.

El arcángel Metatrón enseña esoterismo a niños y adultos, aunque parece que tiene especial interés en pequeños muy sensibles que son incomprendidos o incluso medicados porque sus dones espirituales los vuelven socialmente extraños.

Si tu hijo o tú necesitan asistencia para ajustar la socialización en la escuela, en el trabajo o en la casa, Metatrón puede ayudarlos. Como por ejemplo, Melanie Orders tiene dos hijas que son muy sensibles a las energías, a los químicos y a cualquier cosa pesada. A Serene, de diez años, le cuesta trabajo estar donde hay ruidos fuertes o cualquier forma de ira o violencia. Basta con que vea una imagen de guerra en la televisión durante un instante, para que no duerma en la noche. Melanie y su esposo ni siquiera se dieron cuenta de que Serene vio una imagen violenta en televisión, pues

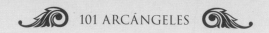

había aparecido un instante al cambiarle de canal cuando ella iba pasando. Pero cuando no pudo dormir y no paraba de llorar, la niña admitió cuál era el origen de su desasosiego: "¡Mami, no puedo dejar de ver al hombre de la televisión!".

Entonces, Melanie llamó al arcángel Metatrón, como protector de los niños sensibles, y le pidió ayuda. Cerró los ojos y tuvo la visión de un ángel largo parado frente a Serene. Metatrón empezó a aliviar los pensamientos de la niña para que soltara la imagen violenta de su mente. En breve, la pequeña dijo que se sentía mejor y pudo irse a dormir sola.

Con frecuencia, Melanie llama a Metatrón para que la ayude con sus hijas para que no dejen de ser sensibles, pero que vivan en armonía con las a veces pesadas energías del mundo actual. Ella y su esposo ahora están aún más conscientes de la sensibilidad de sus niñas, y ya nadie ve las noticias en la casa.

El trabajo de Melanie con el arcángel Metatrón de verdad ilustra su misión de ayudar a niños psíquicos sensibles a arreglárselas en el mundo material.

A veces, los pequeños muy sensibles son inquietos y padecen insomnio. A las cuatro de la mañana, la hija de Orietta Mammarella, Jasmina, se inquietaba y no dejaba dormir a sus padres. Le jalaba las orejas a su papá, cantaba canciones y

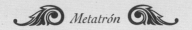

jugaba. Frustrada y cansada, Orietta llamó al arcángel Metatrón para pedirle ayuda.

Escuchó que el "ángel le susurraba" al oído que Jasmina necesitaba volver a su cama. Metatrón le dijo a Orietta que la niña estaba probando los límites de sus padres; así que la llevó a su cama y le pidió al arcángel que los ayudara a todos a descansar cómodamente. ¡Y funcionó! Jasmina durmió hasta las nueve de la mañana, dándole a toda la casa la maravillosa oportunidad de dormir hasta tarde.

Ahora, Orietta trabaja con frecuencia con Metatrón y se refiere a él como la "súper niñera".

El arcángel Metatrón no sólo asiste en la crianza de niños sumamente sensibles, sino que también ayuda a la concepción y el embarazo, como lo descubrió Claire Timmis, quien se pone en contacto con el arcángel Metatrón cuando está cerca del agua. Percibe su energía como de muy alta frecuencia, más de lo que percibimos con nuestros sentidos humanos. Para Claire, su energía es poderosa, pero suave, y su guía fuerte y firme. Se ha dado cuenta de que la mayoría de los ángeles ofrece amor, pero luego evitan dar guía que pudiera parecer controladora. Metatrón, por otra parte, aunque no es controlador, es muy claro con sus consejos.

Un día que Claire estaba bañándose, tuvo la visión de un arcángel que le decía que pronto

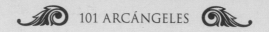

concebiría. Unas semanas después, descubrió que estaba embarazada. Todo su embarazo fue una profunda experiencia espiritual, y ha sentido la presencia y el apoyo de Metatrón en cada aspecto de la maternidad. Claire dice: "El arcángel Metatrón ayuda a que mi mundo sea mejor a través de mis acciones y aquellas que les enseño a mis hijos".

Misión relacionada con niños muy sensibles

Gracias, arcángel Metatrón, por guiar
y apoyar mi carrera como sanador y maestro
que ayuda a niños muy sensibles.

Si te sientes atraído a ayudar a los niños, sobre todo a pequeños psíquicos y muy sensibles, entonces el arcángel Metatrón puede guiarte en tu carrera. Él sabe qué campo relacionado con los niños te parecerá más significativo, y si se lo pides, guiará tu preparación y búsqueda de empleo, y atraerá trabajo y pacientes para ti.

Por ejemplo, la terapeuta con ángeles Kristy Ayala (a quien Gabriel ayudó en su vocación espiritual en la historia del Capítulo 3) recibió guía clara del arcángel Metatrón en sus meditaciones. Estaba en el proceso de dejar la psicoterapia tradicional. Cada vez que solicitaba guía sobre su verdadera misión, el arcángel Metatrón se le aparecía a Kristy. Le

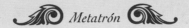

indicó que su misión tenía que ver con trabajar con niños muy sensibles, a los que suele conocérseles como *Índigo, Cristal* y *Arco Iris*.

Las visiones de Kristy eran muy específicas. El arcángel le mostró que sería guiada paso a paso con esos niños y sus padres. Dice: "Me enseñó que daría sesiones individuales, con énfasis en la comprensión y conexión con su sendero espiritual". Metatrón también reveló a Kristy que daría clases a niños, padres y cuidadores de cómo trabajar con ángeles.

Bueno, las visiones y la guía de Metatrón se volvieron realidad para Kristy, y le va muy bien en las clases. Comenta: "Trabajar con el arcángel Metatrón me ha permitido recibir la información indispensable para preparar las sesiones que requiere cada familia con base en lo que necesitan. He descubierto que el arcángel Metatrón es muy compasivo, cariñoso y dedicado con estas familias y conmigo en mi servicio".

Aunque el arcángel Metatrón es un ser de alto nivel, es muy accesible para nosotros por su dedicación a enseñar la aplicación práctica del esoterismo. También se preocupa profundamente por la gente muy sensible.

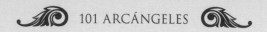

En el siguiente capítulo, nos pondremos en contacto con el arcángel Sandalfón, a quien se le considera hermano de Metatrón porque ambos siguieron caminos similares, de ser profetas se convirtieron en ángeles.

Capítulo Ocho

SANDALFÓN

*Querido arcángel Sandalfón, por favor,
lleva mi plegaria al Cielo para
que sea escuchada y respondida.*

A Sandalfón se le conoce como: Ophan o Saldolfón.

El nombre Sandalfón significa: "Hermano" o "Cohermano".

Igual que Metatrón, el nombre de Sandalfón termina en *on* y no en *el*, indicando su origen como profeta humano. Sandalfón era el profeta bíblico Elías, quien ascendió al final de su vida, igual que Metatrón. Curiosamente, es éste quien preside la entrada a las esferas del Árbol de la Vida de la Cábala, y Sandalfón la salida.

En la existencia humana de Sandalfón, Elías fue con quien compararon a Jesús cuando les preguntó a sus discípulos: "¿Quién dice la gente que soy?". Quizá se deba a que se decía que Elías era precursor del futuro Mesías.

Entre las funciones asociadas a Sandalfón está la de interceder en las oraciones por los humanos ante Dios, ayudar a determinar el sexo del futuro bebé y fungir como patrón de los músicos. El Talmud y la Cábala describen a Sandalfón como el que lleva las plegarias de la Tierra al Cielo; quizá por su legendaria altura, que según se dice, se *extiende* de la Tierra al Cielo.

En la Cábala, el último séfira del Árbol de la Vida se llama *Malkuth*, que se refiere a la entrada de la humanidad al conocimiento metafísico. El arcángel Sandalfón preside el Malkuth, la culminación de la experiencia espiritual y el conocimiento que se canaliza al mundo físico.

En otras palabras, Sandalfón toma lo esotérico y le da aplicación práctica cuando entrega y responde oraciones.

Como ejemplo, cuando Jenm Prothero vendió su casa, no sabía adónde mudarse, lo único que tenía claro era que quería escapar de la vida de la ciudad y que los ángeles la guiarían al lugar

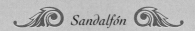

perfecto. Meditaba todos los días y les pedía ayuda a los ángeles para encontrar su nueva casa.

Jenn vio algunas, pero nada le parecía adecuado. También tenía una fecha límite, que se acercaba aprisa, para mudarse de la casa y la ocuparan los nuevos dueños.

Entonces, Jenn llamó al arcángel Sandalfón, el ángel que entrega las plegarias a Dios, y sus respuestas; le dijo: "Por favor, ve con Dios y pídele las respuestas que estoy buscando". A la mañana siguiente, durante la meditación, escuchó que una voz suave le decía: "Calle McNaughton". Jeen supo que había recibido la guía que necesitaba y llamó a su agente inmobiliario.

Por supuesto, había una casa perfecta en venta en la calle McNaughton, y Jenn firmó los papeles de compra-venta la noche siguiente.

El ángel de la música

Querido arcángel Sandalfón, te pido
que canalices la música sanadora y armoniosa
de las esferas a través de mi voz e instrumentos.

Sandalfón trabaja con los ángeles que continuamente cantan alabanzas a Dios, creando música celestial que nos brinda protección a todos. Algunos teólogos consideran que Sandalfón es un *hazan* (palabra hebrea que significa maestro de la música) o el patrón de los hazanes.

De cualquier forma, muchos músicos se han beneficiado con la ayuda musical del arcángel Sandalfón. Yo suelo pedirle que me asista cuando toco la guitarra o cuando estoy aprendiendo una canción nueva (sobre todo si es difícil).

La letrista y cantante Anna Taylor trabajaba en las canciones de su álbum debut, *Already Here*, cuando el productor le preguntó si planeaba incluir alguna canción de ángeles; después de todo, ella era terapeuta con ángeles, señaló el productor.

Pero Anna estaba renuente a componer una canción de ángeles, porque ya existían muchas muy buenas sobre el tema. No obstante, ante el comentario de su productor, decidió llamar al ángel de la música, el arcángel Sandalfón, para que le diera inspiración y apoyo. A segundos de su solicitud, ¡Anna recibió la ayuda!

Abrió su laptop y comenzó a escribir las palabras de su canción, como si se las estuviera dictando Sandalfón. Entonces, levantó la vista y vio un rayo de suave luz turquesa, que es el color del aura del ángel de la música. Cuando terminó, Anna descubrió que hizo una canción que expresaba todo lo que quería decir sobre los ángeles.

Anna dice: "Siento la poderosa energía de Sandalfón frente a mí cuando canto esa canción, y con

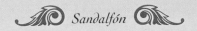
mucha frecuencia llego a ver un destello de su hermosa aura color turquesa, como si estuviera saludándome". Ahora, Anna pide la ayuda de Sandalfón para todo lo relacionado con su música y el canto.

La graciosa y poderosamente suave presencia de Sandalfón te apoya para desarrollar una conexión más íntima con Dios y con tu espiritualidad; te ayuda a sentir el amor del Divino y la seguridad de saber que están cuidándote y protegiéndote. En el siguiente capítulo, nos pondremos en contacto con el arcángel Azrael, quien nos apoya durante los finales y las transiciones.

Capítulo Nueve

AZRAEL

Querido arcángel Azrael, por favor,
sana mi corazón y ayúdame
a seguir adelante con mi vida.

A Azrael también se le conoce como: Ezraeil, Izrail, Izrael o Mala al-Maut.

El nombre Azrael significa: "al que Dios ayuda".

Azrael es el "ángel de la muerte", en el sentido más bello y sanador de la palabra. Es algo muy lejano a la mórbida imagen de la Parca que se lleva a la gente. En contraste, Azrael consuela cuando hay dolor y guía con cariño a las almas al Cielo después de que cruzan. Entonces, tranquiliza a los supervivientes y los ayuda a sanar la pena.

La teología islámica sostiene que Azrael cumple con la voluntad de Dios en las almas de los difuntos con profunda reverencia.

A veces, a Azrael se le confunde, por el parecido de los nombres, con Azazael, considerado un demonio o ángel caído. Pero su imagen, misiones y energías no pueden ser más diferentes. Nuestro Azrael es un ser puro y confiable de la luz de Dios.

Sanación para el dolor

Azrael asiste en todos los aspectos de pérdidas, muertes y transiciones. Si tienes mucha pena en el corazón, llama a este arcángel para que te sane y te consuele, como lo hizo Carmen Carignan.

La época de fiestas fue difícil para Carmen por el reciente fallecimiento de su madre, a quien extrañaba muchísimo, sobre todo porque su cumpleaños era muy cerca de Navidad. Hacía tiempo que Carmen sentía la presencia espiritual de su mamá o recibía su visita en sueños.

Entonces, Carmen le pidió consuelo y apoyo a Azrael durante las festividades, y que le enviara una señal de que su mamá estaba bien y cerca de ella.

Pues bien, Carmen recibió la señal en Nochebuena, cuando ella y su familia estaban destapando los regalos cerca del árbol de Navidad. Una vez abiertos todos los obsequios, el hermano de Carmen le dio una caja; al desenvolverla, un aroma familiar invadió sus fosas nasales. ¡Era la cosmetiquera bordada con turqueas de su mamá!

Carmen abrazó el contenido después de abrir la cosmetiquera, porque cada botella de perfume y crema a medio usar estaba impregnada con la energía y la presencia de su madre. Su hermano le explicó que la había encontrado en su casa, sin tener idea de cómo había llegado ahí, y simplemente supo que tenía que dársela a Carmen.

Dice:

> Mi corazón se inflamó y las lágrimas comenzaron a fluir cuando me di cuenta de que todo había sido organizado de manera Divina por el arcángel Azrael como señal de que mi mamá estaba bien, como se lo pedí. Este fue el regalo de Navidad más hermoso que jamás haya recibido, pues me dio mucha paz y mucha tranquilidad en mi interior.

Las pérdidas toman muchas formas, y el dolor es la reacción normal a cualquier final. Por suerte, el arcángel Azrael está ahí para atraparnos cuando caemos, como lo vivió Claudio Moreno cuando terminó con su novia.

En realidad, Claudio se puso en contacto con el arcángel Azrael por primera vez cuando la mujer que amaba lo dejó sin ninguna explicación. Rezó pidiendo ayuda espiritual, tanto para una reconciliación y para sentirse mejor; pero en el fondo, sabía que quería estar triste y sentir pena por sí mismo.

Una noche, cuando lloraba por esa relación, Claudio abrió el libro *Arcángeles y maestros ascendidos* en una página al azar, y leyó sobre el arcángel Azrael. Sin conocerlo, repitió la invocación y dejó el tema.

Un par de días más tarde, la mamá de Claudio le mando un interesante artículo sobre Teotihuacán, México. Parecía un estupendo destino vacacional de sanación, así que Claudio se puso en contacto con un amigo llamado Héctor, en México, que "coincidió" que acababa de realizar una visita guiada por Teotihuacán y otros pueblos de México ese mes. Con la certeza de que era una señal clara, Claudio fue a México e hizo el recorrido de Héctor.

En el viaje, este último le comenzó a hablar espontáneamente del ángel de la muerte, que Claudio supo más tarde se trataba del arcángel Azrael. Esa noche, recibió otra señal de la presencia de Azrael, cuando abrió una novela de John Irving y leyó una referencia al ángel de la muerte.

Claudio no sabía qué significaban estas señales. Sentía la presencia de los ángeles, ayudándolo a superar el dolor de su relación, pero no escuchaba sus mensajes. Al día siguiente, Claudio, Héctor y el resto del grupo visitaron Teotihuacán y caminaron por el "paseo de los muertos" brazo con brazo.

Durante este paseo de meditación, Claudio tuvo la visión mental de un hombre rubio con enormes alas blancas, una armadura de color vino claro y un casco ligero. Le pareció muy intenso y bello.

En silencio, Claudio dijo: *Sé que eres Azrael, el ángel de la muerte, y estás aquí para ayudarme.* Se dio cuenta de que el arcángel traía una lanza enorme y mentalmente le pidió que la usara para cortar sus pensamientos y sus sentimientos de dolor. Claudio se sintió mucho mejor, porque percibió que Azrael alivió su corazón del dolor de la relación.

Claudio continuó comunicándose con Azrael cuando regresó a su casa. Los mensajes y la ayuda que el arcángel le brindaba eran firmes y claros. En resumen, dice:

Azrael me hizo saber que yo era el responsable del infierno en el que estaba viviendo. Era mi creación, de nadie más, y me recordó que no debía culpar a los demás de mis sentimientos. También me hizo entender que alimentando el miedo y los malos sentimientos, estaba lastimándome y colaboraba a que el mundo fuera un lugar peor. Azrael quería que supiera que disfruta liberar a las personas del miedo; que siempre que lo llamara, iría a lo más profundo de mi infierno personal para rescatarme. Desde entonces, lo ha hecho muchas veces y ahora me ayuda a evitar que mi mente cree ideas que harán daño a mi cuerpo emocional.

Azrael le enseñó a Claudio que la lucha del amor contra el miedo se encontraba sólo en su mente, nada más; también, que la única opción realmente importante es que nos alineemos con el amor. Claudio agradeció las enseñanzas prácticas y lógicas de Azrael, y las usó para sanar su mente y su corazón, para que encontrara una nueva sensación de paz.

Apoyo para terapeutas del dolor

Además de los adoloridos, el arcángel Azrael ayuda a aquellos que dan terapia para el dolor. Si se lo pides, el ángel te guía cuando hablas con una persona afligida para que elijas palabras de consuelo, y también a que des bellos elogios.

Si eres terapeuta profesional, entonces sabes con qué frecuencia el dolor no sanado se convierte en problemas emocionales y de pareja, adicciones y otras enfermedades psicológicas. Así que es buena idea que invites a Azrael a tu consultorio.

En un periodo de doce meses, murieron tres familiares cercanos de la terapeuta Kristy Ayala. No tenía mucho tiempo llorando la pérdida de un ser querido, cuando fallecía otro. Por suerte, contaba con el apoyo de su esposo y el consuelo del arcángel Azrael.

Cuando Kristy comenzó a sanar de la pena, Azrael le indicó que devolvería la misma clase de apoyo a aquellos que empezaban a vivir el dolor. El arcángel le explicó que conduciría sesiones espiritistas para comunicar a los pacientes con sus seres queridos.

Al principio, le preocupaba que la desesperación de sus pacientes fuera muy intensa para ella, ya que apenas estaba recuperándose. Pero Azrael le aseguró que estaría presente en todas las sesiones para apoyar a todos los participantes. Después de oír eso, Kristy dio el siguiente paso en su trabajo como espiritista, y ahora le parece que este tipo de sesión es su modalidad de sanación favorita.

Azrael continúa apoyando el trabajo de dolor personal y profesional de Kristy, así como las sesiones

de espiritismo, sobre todo cuando ella o sus pacientes necesitan consuelo.

El arcángel Azrael nos toma de la mano y nos tranquiliza en las transiciones de la vida; nos ayuda a reconocer y enfrentar el hecho de que los inicios y los finales son naturales. En el siguiente capítulo, nos comunicaremos con el arcángel Jofiel, quien nos enseña a crear una vida hermosa.

Capítulo Diez

JOFIEL

*Querido arcángel Jofiel, gracias
por ayudarme a embellecer mis
pensamientos y mi vida.*

A Jofiel también se le conoce como: Iofiel, Io-
phiel, Zafiel o Zofiel.

El nombre Jofiel significa: "belleza de Dios".

Jofiel aparece como uno de los siete arcángeles
principales de la *Jerarquía celestial* (*De Coelesti Hie-
rarchia*), de Pseudo Dionisio, una obra del siglo V
sobre angelología que ha influido en la teología
cristiana. Se dice que Tomás de Aquino se basó en
ella para escribir sobre los nueve coros de ángeles.

Como el ángel de la belleza, Jofiel tiene una clara energía femenina, y su misión es dar belleza a todos los aspectos de la vida, entre ellos:

- **Pensamientos:** te ayuda atener opiniones más positivas de tu vida, de tus relaciones y de las circunstancias.

- **Sentimientos:** llena tu corazón con cálidos sentimientos de gratitud y alegría

- **Casa y oficina:** te ayuda a reducir el desorden y a crear un ambiente que te invite a trabajar y a relajarte.

- **Yo:** te guía en todos los aspectos del cuidado personal, para que te embellezcas.

El arcángel Jofiel te asiste para que cambies rápido de pensamientos negativos a positivos. También es estupendo para sanar malos entendidos con otras personas. Con su habilidad, Jofiel saca una amplia red para darle belleza a tu vida y te ayuda con el cabello, el maquillaje y la ropa.

A veces, a la gente le preocupa "molestar" a los ángeles con asuntos triviales porque creen que sus peticiones los alejan de asuntos más importantes.

No obstante, como ya he dicho, los ángeles son seres ilimitados que ayudan a cualquier cantidad de personas y situaciones al mismo tiempo. Les gustaría participar más en nuestras vidas, en los aspectos pequeños y grandes, para ayudarnos a vivir en paz a cada momento.

Por ejemplo, cuando Karen Forrest tenía programada su aparición en televisión para promocionar su libro (historia que se contó en el Capítulo 3), su hermana Lesa le preguntó qué planeaba ponerse y Karen le respondió que aún no sabía. Lesa estaba completamente alarmada porque a horas de su presentación en televisión, Karen no había elegido su ropa.

Sin embargo, Karen tranquilizó a su hermana diciéndole que el arcángel Jofiel se encargaba de su guardarropa. Después de todo, ya la había ayudado a comprar y vestirse en el pasado. Entonces, Karen le pidió a Jofiel que la guiara para elegir su ropa. Cuando llegó la hora de vestirse, volvió a llamar al ángel.

De inmediato, Karen se relajó y vio la imagen mental de una blusa gris de manga corta. Se la probó y descubrió que se le veía muy bien y combinaba perfecto con la postura de su cuerpo el tiempo que estuviera sentada en la entrevista.

Igual que Karen, yo también le pido ayuda a Jofiel para que me ayude a elegir la ropa para mis talleres. Aunque pienses que la belleza y las compras son algo demasiado trivial para un ángel sagrado, recuerda que Jofiel y los demás ángeles están cumpliendo con la voluntad de Dios de que haya paz en la Tierra. Entonces, es un honor sagrado ayudarnos con cualquier cosa que nos dé paz.

María de los Ángeles Duong aprendió de la experiencia el estupendo compañero de compras que resulta ser el arcángel Jofiel. Lejos de volver triviales las funciones de este poderoso ángel, llamarlo es algo que puedes hacer en *cualquier momento* que desees embellecer tu vida y eso incluye adquirir ropa agradable estéticamente, muebles y demás objetos.

María había estado buscando una mascada y un suéter morados y unos zapatos de piso negros durante algún tiempo, sin tener suerte. Parecía que en particular los zapatos huían de María, pues en todas partes estaba agotado su número.

Entonces, llamó a Jofiel, el ángel de la belleza, para que la ayudara a encontrar ropa bonita y accesible, y le pidió que la condujera hacia esos artículos. De inmediato, fue guiada a conducir a un pequeño centro comercial al que pocas veces iba. A María no le sorprendió que sus zapatos imposibles de encontrar y el suéter estuvieran ahí, ¡de su talla y en descuento!

Con mucho aprecio, María agradeció a Jofiel su ayuda. Después, el arcángel la guió a una tienda

donde encontró dos bellas mascadas moradas, pero no sabía cuál comprar.

Jofiel debió mandar ángeles terrenales para que la ayudaran, porque un instante después, otra compradora comentó que la mascada morada brillante que María traía en las manos era mucho más bonita que la otra. Feliz con su compra, se puso la mascada como recordatorio del viaje y recibió otros dos halagos por el color. Dice: "¡Gracias, hermoso arcángel Jofiel!".

El ángel del Feng Shui

Cuando pidas que Jofiel te ayude a embellecer tu vida, te sentirás atraído a empezar donar o vender las cosas que ya no quieres. Yo me refiero a Jofiel, con mucho respeto y cariño, como el "ángel del *Feng Shui*", en honor al antiguo arte de la organización de las habitaciones. Jofiel sabe lo mucho que afecta un ambiente ordenado en nuestro nivel de energía, nuestro humor, nuestros patrones de sueño, e incluso nuestra salud.

Su aura es de color fucsia intenso, así que si ves chispas o rayos de luz rosa fuerte o si de repente te atrae este color, es una señal de que el arcángel está contigo.

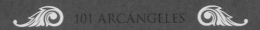
Jofiel nos recuerda la alegría de la belleza y, en consecuencia, nos ayuda a vivir más felices. En el siguiente capítulo, conoceremos al radiante arcángel Haniel.

Capítulo Once

HANIEL

*Querido arcángel Haniel, gracias
por ayudarme a aceptar con gracia y a apreciar
a los demás, a mí y a mi vida.*

A Haniel también se le conoce como: Aniel, Hanael o Hanniel.

El nombre Haniel significa: "la gracia de Dios".

En la Cábala, Haniel preside el séfira séptimo, o *Netzach* (emanación de la voluntad de Dios). Esta esfera tiene que ver con la victoria y representa nuestro mundo interno de intuición, imaginación y emociones.

El séfira Netzach marca el inicio del libre albedrío de los humanos, y la expresión de resistencia y tenacidad. Es la representación del amor terrenal.

Como en el caso de la exploración del Netzach de la intuición y la imaginación, el arcángel Haniel emite sus cualidades internas hacia el exterior como la luna llena. Misterioso y femenino, Haniel ha sido venerado desde los babilonios, quienes relacionaban la astronomía con la religión.

El arcángel Haniel te ayuda a desarrollar la intuición y la clarividencia, así como cualquier aspecto de la energía femenina sagrada. En esencia, es un arcángel-diosa, aunque no hay que confundirlo con Anael, el ángel del planeta Venus. Haniel es el ángel de la luna, sobre todo de la luna llena, algo así como una deidad lunar. No obstante, es un ángel monoteísta, fiel a la voluntad y al culto de Dios.

Problemas de salud emocionales y físicos de las mujeres

Es muy eficaz llamar a Haniel en la luna llena, sobre todo si quieres liberar o sanar algo; en particular, ayuda con problemas femeninos.

Natalie Yates ya tiene varios años trabajando con el arcángel Haniel; le parece que su energía abriga con suavidad, y tiene cierta bondad. Como está asociado con la luna, Natalie suele llamar al arcángel durante la luna llena para deshacerse de la negatividad. Se sienta en el exterior, debajo de él, y le dice: "Les pido arcángel Haniel y a la energía de la luna llena que por favor me ayuden a liberar [y dice de qué se trata]".

En instantes, Natalie experimenta una ráfaga de energía que se siente como si estuviera lavándola un cepillo. Prácticamente, puede ver revoloteando a Haniel a su alrededor, llevándose los residuos de la energía que está limpiando.

Natalie también tuvo muy buenos resultados al pedirle a Haniel que le aliviara los cólicos menstruales. Dice que cuando empezó a solicitar que le quitara las molestias del periodo, el alivio no era inmediato; pero entre más trabaja con Haniel, más rápido la asiste cada mes. También ha guiado a Natalie a que coloque su dije de piedra luna bajo la luz de la luna llena para que "se cargue con energía sanadora" y lo use durante sus periodos menstruales.

Natalie llama al arcángel Haniel en la luna llena para que la asista en la liberación de viejos patrones y de negatividad. Dice que cuando está al aire libre, bajo la luz de la luna y se conecta con Haniel, su cuerpo es invadido, de pies a cabeza, con "cosquillas de ángeles", cuando siente la poderosa energía sanadora de la limpieza del arcángel. Después, queda fresca y ligera, gracias a Haniel y a la luna llena.

Desde luego, puedes llamar a Haniel en cualquier momento, no sólo cuando hay luna llena.

Tiene una presencia suave, dulce y femenina que también es majestuosa. Me recuerda a una princesa mágica.

Además, Haniel es un sanador compasivo de corazones rotos y otros dolores emocionales.

Por ejemplo, Jessica Welsh se sentía mal porque tenía una dolorosa relación sentimental en la que su pareja y ella no lograban conectarse. Entonces, meditó y les pidió a los ángeles que la sanaran, y Jessica vio y sintió a Haniel con mucha claridad. El arcángel pasó las manos por su cuerpo, deteniéndose en cada chacra para sacar las energías bajas; después, la envolvió en luz blanca. El arcángel Rafael se unió un instante a Haniel para cubrir a Jessica con luz verde sanadora. Cuando Rafael se fue, Haniel le dijo a Jessica: "Ya estás curada".

Ella recuerda que luego de la sesión de sanación con Haniel y Rafael, se sintió mejor que nunca en toda su vida. Desde entonces, su relación ya no le causa tristeza, ni está enojada con su exnovio. ¡Ha seguido adelante!

Apoyo intuitivo

Como la expresión del mundo interno de la intuición, el arcángel Haniel es un guía compasivo con aquellos que desean desarrollar sus dones espirituales, como la clarividencia. Su aura blanca azulada me recuerda a la luna, y usar un dije de piedra lunar amplifica las transmisiones intuitivas y también te conecta con Haniel.

Hombres y mujeres se benefician con la comunicación con este arcángel, pues los caballeros también tienen energía femenina (como las mujeres tienen energía masculina). Haniel asiste a ambos sexos a despertar y confiar en su guía interna.

El arcángel Haniel nos da acceso a ricas fuentes de sabiduría que llevamos en nuestro interior y a tener una comunicación más clara con el Divino. En el siguiente capítulo, nos pondremos en contacto con otro arcángel místico y mágico: Raziel.

Capítulo Doce

RAZIEL

*Querido arcángel Raziel, gracias
por guiar mi comprensión espiritual hacia
un sitio de omnisciencia y sabiduría.*

A Raziel también se le conoce como: Ratziel.

El nombre Raziel significa: "los secretos de Dios".

Según la leyenda, el arcángel Raziel está sentado cerca del trono de Dios para escuchar y escribir todo lo que el Señor dice. Raziel reunió este conocimiento en el libro llamado *Sefer Raziel HaMalach*, o el "Libro de Raziel el ángel". Se dice que esta obra contiene toda la sabiduría universal, y que Raziel le entregó una copia a Adán, el primer hombre. La leyenda también cuenta que le dio a Noé la sabiduría de construir su arca. El libro pasó de generación en generación hasta que llegó al rey Salomón. Una pseudo versión moderna de la obra se encuentra actualmente disponible en librerías.

Raziel (como Ratziel) es el arcángel del *Chokmah*, segundo séfira (aspecto de Dios) del Árbol de la Vida de la Cábala. Ahí, Raziel preside la acción de convertir el conocimiento en sabiduría práctica. Raziel nos ayuda a los humanos a ejercer el conocimiento hasta que se vuelve natural y espiritualizado. En la esfera Chokmah, aprendemos a mantenernos concentrados y a evitar las tentadoras distracciones, lo cual requiere que nos sintonicemos con nuestro yo superior, que es la conexión con la sabiduría Divina.

La imagen de Raziel es como la de un viejo mago sabio. Imagina las enormes alas de águila de Merlín, y tendrás una idea de la energía de Raziel. A este mágico arcángel le da mucha alegría impartir su conocimiento esotérico, sobre todo con la intención de sanar. Su aura es del color del arco iris, como los rayos de sol reflejados a través de un prisma de cuarzo transparente.

La sabiduría de vidas pasadas

Gracias, arcángel Raziel, por ayudarme a sanar los miedos de vidas pasadas, para que pueda concentrarme con claridad en mi misión Divina actual.

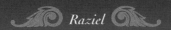

Como el encargado de los registros de sabiduría y secretos antiguos, el arcángel Raziel conoce el libro de la vida o los registros akáshicos de cada persona, que abarcan los contratos del alma y las vidas pasadas. No necesitas creer en la reencarnación para beneficiarte con el trabajo sanador de vidas pasadas de Raziel.

Te ayuda a recordar las lecciones que tu alma ha acumulado con el tiempo y las condensa en energía utilizable en tu misión actual. Raziel también alivia recuerdos dolorosos y traumas del pasado, sobre todo si te causan miedo a seguir con tu misión. Además, Raziel te asiste para disolver votos difíciles que hayas hecho en otras vidas, como los de pobreza, de castidad, de autosacrificio. Si no deseas que los efectos de dichos votos afecten tu presente, llama a Raziel para que los deshaga diciendo:

Querido arcángel Raziel, estoy dispuesto a cortar con todos los votos de pobreza, autosacrificio y castidad, y te pido que me ayudes a deshacer los efectos de los mismos en todas direcciones del tiempo y para todos los involucrados.

Esta oración suele acabar con los patrones negativos recurrentes relacionados con el dinero y el amor, y el resultado generalmente es una mayor autoestima y sentimientos de valoración personal.

Se ha demostrado con estudios que trabajar con vidas pasadas reduce o elimina adicciones y fobias, aumenta la sensación de felicidad, y ayuda con las relaciones.

Por ejemplo, Tia Spanelli siempre se ha sentido románticamente atraída a hombres de cabello oscuro, ojos azules, piel clara y acento extranjero; sin embargo, no había hombres con esa descripción donde ella creció. Dice: "Era como si yo hubiera inventado al 'hombre de mis sueños' en la imaginación". Al mismo tiempo, Tia tenía mucho miedo de que los hombres se aprovecharan de ella sexualmente, cosa que carecía de fundamento en su experiencia porque nunca habían abusado de ella en ningún sentido. Además, Tia se volvió francófila, estudió todo lo relacionado con lo francés. No tenía ni idea de dónde salieron esas fobias y esos intereses.

Las dudas de Tia fueron respondidas cuando escuchó mi grabación sobre el arcángel Raziel. Recuerda lo que sucedió a continuación:

> Sentí que los ojos se me clavaban en la nuca a una velocidad incontrolable, como si estuviera viajando en el tiempo. Después de eso, ya no estaba en mi escritorio, sino en

África. No estoy segura en qué época o en qué región, pero era una aldea en lo que parecía el inicio de la era moderna.

Era una chica del pueblo, delgada de piel caoba y cabello corto. Traía un brazalete en el brazo derecho; mi vestido era color habano, con una faja alrededor de la cintura, y parecía de coctel. El hombre del que estaba enamorada era un soldado del ejército francés; no era muy alto, pero si un poco más que yo. Su uniforme era azul, a juego con sus ojos en tono zafiro.

Nuestro amor era intenso, pero terminó con la misma rapidez con la que empezó, cuando un soldado, compañero de él, lo siguió del pueblo a nuestro nido de amor. Reveló nuestra ubicación y nuestra situación a sus oficiales, lo que puso fin a nuestra relación. Me atraparon y me violaron de muchas maneras, lo que provocó mi muerte en última instancia.

Luego de esa visión, "desperte" y estaba de regreso en mi escritorio. Tenía sentimientos encontrados y lágrimas en los ojos; pero hoy sé por qué, desde muy temprana edad, preferí a cierto tipo de hombre, por qué decidí aprender francés en la preparatoria y en la universidad, en vez de otros idiomas, y por qué me daba muchísimo miedo que me violaran cuando no había razón para ello.

Tia siguió adelante con su vida gracias a esta comprensión y al conocimiento personal.

Los secretos del universo

Querido arcángel Raziel, te pido que enseñes sobre Dios, la sabiduría universal y los secretos del universo, sobre todo porque son las bases para vivir una vida más tranquila.

Como el arcángel de los secretos, la información esotérica y la sabiduría, Raziel es un maestro nato. Por lo tanto, pregúntale lo que quieras, como a cualquier mentor.

Tanya Snyman obtuvo resultados positivos cuando le hizo peguntas al arcángel Raziel. Hace poco recibió una guía clara cuando le escribió:

Andas tu sendero, aunque no hay dirección. No hay camino correcto o incorrecto, simplemente estás aquí, en tu camino. Aquí es donde necesitas estar. No tienes que saber o recordar nada más, salvo que "estás" en tu sendero. Todo se desarrollará de conformidad con el plan y el tiempo Divinos. No te preocupes por eso en este momento. En este instante estás en paz. En este instante sabes todo lo que tienes que saber. En este

instante pasa la vida. Este instante es importante.

Éste es el regalo más grande y más preciado de la vida, vivir en el presente, estar en el presente. En el presente es donde se abren todas las oportunidades y puertas a la vida y al amor. Siente este sentimiento en el corazón; este fuerte, certero y cariñoso sentimiento; este sentimiento que te mantiene aquí ahora, que te ayuda a hacer tu trabajo en este planeta.

El arcángel Raziel despierta nuestro conocimiento del pasado y la sabiduría esotérica del universo. En el siguiente capítulo, conoceremos al arcángel Raguel, que nos ayuda a poner en práctica esta sabiduría sanadora en nuestras relaciones actuales.

Capítulo Trece

RAGUEL

Querido arcángel Raguel, gracias por armonizar
mis relaciones y ayudarme a ser un buen
amigo para los demás y para mí.

A Raguel también se le conoce como: Raguil, Rasuil, Reuel, Ruhiel, Ruagel o Ruahel.

El nombre de Raguel significa: "amigo de Dios".

El arcángel Raguel aparece en el apócrifo Libro de Enoc y es uno de los siete arcángeles principales. Se le considera el ángel del orden, de la justicia, de la armonía y de la igualdad; y también maneja las relaciones entre ángeles y humanos. En Enoc, Raguel administraba la justicia a aquellos que violaban la voluntad de Dios.

El arcángel de la armonía en las relaciones

Gracias, arcángel Raguel, por sanar
mi relación con [nombre de la persona]
y ayudarnos a ambos a soltar, a perdonar
y a tener compasión por el punto
de vista de la otra persona.

Como "amigo de Dios", según significa su nombre, Raguel es el ángel al que debe acudirse para las relaciones armoniosas; brinda perdón, paz y calma entre las personas y sana malos entendidos; también te ayuda a atraer estupendos amigos que te tratan con respeto e integridad. Con los años, he escuchado muchas historias en las que Raguel sanó enemistades milagrosamente.

Por ejemplo, cada noche que se duerme, una mujer de nombre Stevie le dice al arcángel Raguel: "Por favor, sana todas mis relaciones que lo necesiten y fortalece a aquellos que son importantes para mí". Esta petición dio resultados hace muy poco, cuando ella y su mejor amiga discutieron. ¡La amiga de Stevie hasta dejó de hablarle!

Stevie no sabía cómo sanar la situación, así que le pidió al arcángel Raguel que armonizara la relación y el propósito saliera a la superficie para que ella y su amiga pudieran resolver el problema. Al día siguiente, Stevie sintió una disminución en la tensión entre ellas. Pudieron sostener una conversación honesta y solucionar el mal entendido, y ahora su amistad es más sólida que nunca.

El arcángel Raguel lleva armonía a todas las relaciones, romántica, familiar y comercial. A veces, las cura de inmediato, y otras te manda guía intuitiva. Reconocerás esta guía como sensaciones, pensamientos, visiones o señales repetitivas que te conducen a actuar de manera sana en tus relaciones.

Cuando María de los Ángeles Duong (a quien se mencionó en el Capítulo 10) y su esposo pasaban por problemas de infertilidad, su matrimonio se llenó de tensión. Entonces, María comenzó a llamar al arcángel Raguel para que suavizara las cosas; de inmediato, notó que ella y su esposo eran más comprensivos el uno con el otro. Con la ayuda de Raguel, pudieron resolver sus diferencias de manera más pacífica, lo que ambos merecían.

María ni siquiera imaginaba que Raguel seguiría ayudándola personalmente.

Hace poco, cuando la prueba de embarazo que se hizo resultó positiva, se puso feliz. Por desgracia, unos días después, tuvo un aborto espontáneo, y sentirse devastada.

Para ayudar a sanar su mente y su cuerpo, María reservó una cita con un masajista intuitivo. En la sesión, el sanador le dijo: "Veo a un ángel

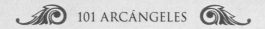

masculino. Dice que se llama Raguel, el ángel de la esperanza, y está contigo en este momento". El masajista le preguntó si alguna vez había escuchado sobre ese ángel, y María supo que estaba ayudándola a no perder la fe en que algún día ella y su esposo tendrían un bebé.

El arcángel Raguel te ayuda en todos los aspectos de tus relaciones, incluida la que tienes *contigo mismo*. En el siguiente capítulo, conoceremos al arcángel Jeremiel, que también hace brillar la luz sanadora en tu yo interior.

Capítulo Catorce

JEREMIEL

Querido arcángel Jeremiel, gracias por ayudarme a tener visiones espirituales claras de la guía Divina que me conducirá mejor por el sendero de mi misión.

A Jeremiel también se le conoce como: Eremiel, Ramiel, Remiel o Jerahmeel.

El nombre de Jeremiel significa: "piedad de Dios".

El arcángel Jeremiel es reconocido por la tradición ortodoxa y en varios libros no canónicos y coptos como el Libro de Esdras, en el que sobresalen las conversaciones entre él y Ezram, y luego en el Libro de Sofonías. Jeremiel explica que cuida de las almas difuntas del Diluvio.

En el etiope Libro de Enoc, Jeremiel es uno de los siete arcángeles y suele llamársele Ramiel. En este texto sagrado, así como en el no canónico Libro de Baruc, Jeremiel (Ramiel) es el ángel de la esperanza que inspira visiones Divinas y se encarga de las almas que deben ascender al Cielo.

Con su capacidad para inspirar visiones, Jeremiel es el mejor ángel al que puedes llamar cuando lo que buscas es inspiración. También puedes recurrir a él para despertar tu clarividencia y tus sueños.

Reseñas de la vida

Se dice que el arcángel Jeremiel ayuda a las almas que recién cruzan a hacer una revisión de su vida antes de que asciendan al Cielo. Así mismo, asiste a aquellos que piden revisar su vida actual; en otras palabras, no tienes que esperar a la transición física para hacer una reseña de tu vida. El arcángel Jeremiel puede ser muy útil cuando haces inventario de tus acciones y ajustas tus planes futuros de conformidad con eso.

Por ejemplo, Melanie Orders sabía que su destino era ser sanadora, pero no estaba segura de qué camino seguir. Entonces, pidió guía y sacó una carta del mazo *Cartas del oráculo de arcángeles*; era la del arcángel Jeremiel, y sugería una revisión de su vida.

Melanie tomó el mensaje muy en serio y decidió *hacerlo* con la asistencia del arcángel. Se dirigió a un espacio tranquilo y privado para meditar. El arcángel Jeremiel vino a ella de inmediato y la guió en el repaso de su vida, como si estuviera viendo una película de su historia personal.

Primero, Melanie se sintió como un alma antes de nacer y entendió por qué tomó la decisión de nacer en esta época. A continuación, se vio como una niña que creía en las hadas y que estaba convencida de que ella también podía volar. Le mostraron a sus amigos de la infancia y descubrió que todos parecían y se comportaban como sirenitas.

Jeremiel le enseñó a Melanie todas las experiencias y lecciones espirituales que tuvieron lugar durante su infancia y adolescencia, incluyendo los libros de la Nueva Era que escribió, las clases de arte que tomó y el yoga que estaba tomando. Le mostró cómo siempre se había sentido atraída a los masajes y a la salud alternativa. Con esta revisión de su vida, Melanie se sintió con más claridad y más firmeza su sendero como sanadora.

Un tiempo después, Jeremiel también ayudó a proteger a Melanie y a su familia cuando un empleado disgustado comenzó a dejar mensajes de amenazas en su contestadora y a acosarlos en venganza. Muy asustada, Melanie pidió la asistencia de los ángeles.

Una noche que estaba meditando, Melanie tuvo la visión de un hermoso ángel que se acercaba a ella. Se veía muy tranquilo y emanaba mucho amor. Al instante, supo que se trataba del arcángel Jeremiel, quien la había ayudado a salir de la confusión sobre su misión, y la tranquilizó con su energía de amor y paciencia.

Jeremiel le expresó a Melanie que todo saldría bien, y le dijo: "Sólo no dejes de enviarle amor a ese hombre y a su familia, y también a tu esposo, a ti y a tu familia". Jeremiel le pidió a Melanie que fuera fuerte y soltara las angustias y la ira que él le provocaba.

Cada noche, Jeremiel se le aparecía a Melanie, emanando luz y pidiéndole que visualizara la situación como resuelta. Una semana más tarde, el papá de Melanie se encontró con el exempleado y lo enfrentó por su comportamiento. El hombre se disculpó y le dijo que había conseguido un nuevo empleo y que ahora estaba contento. Desde entonces, dejó de molestar a Melanie y a su familia.

Ella está muy agradecida por saber que Jeremiel está disponible y dispuesto a ayudarla a encontrar paciencia, paz y tranquilidad.

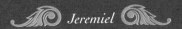

Jeremiel es un mentor y maestro que nos guía con claridad para que veamos a los demás, y a nosotros mismos, con ojos de amor. En el siguiente capítulo, conoceremos al arcángel Zadkiel, que nos ayuda a recordar nuestra herencia Divina.

Capítulo Quince

ZADKIEL

*Querido arcángel Zadkiel, gracias por ayudarme
a recordar que soy un hijo sagrado de Dios.*

A Zadkiel también se le conoce como: Sachiel,
Tzadkiel, Zacharuel o Hesediel.

El nombre Zadkiel significa: "la rectitud de Dios".

Zadkiel es descrito en los escritos rabínicos judíos
como el arcángel que inspira perdón y compasión
en la gente. En la Cábala, Zadkiel (como Tzadkiel)
preside el cuarto séfira, o *Chesed*, del Árbol de la
Vida. La esfera Chesed está relacionada con la práctica del amor y la bondad incondicionales como
manifestación de Dios en la Tierra.

Zadkiel es uno de los siete arcángeles de la tradición gnóstica, así como de los escritos de Pseudo Dionisio. Como Zachariel, otro de sus nombres, fue identificado como uno de los siete arcángeles por el papa San Gregorio.

Apoyo para los estudiantes

Querido arcángel Zadkiel, gracias
por ayudarme a recordar toda la información
necesaria que requiero saber sobre este tema.

Desde hace mucho tiempo, Zadkiel es considerado el "ángel de la memoria", que apoya a los estudiantes y a aquellos que tienen que recordar hechos y cifras.

Por ejemplo, cuando Celia Salazar no pasó el examen para convertirse en ingeniero profesional, estaba devastada. Aunque había estudiado para volver a tomar la prueba, Celia se sentía nerviosa y que no estaba preparada; por fortuna, su hermana Mary le enseñó a llamar a los arcángeles Uriel (el ángel de la sabiduría) y Zadkiel como compañeros de estudio.

Cuando llegó el día de la segunda oportunidad de hacer el examen, Celia pidió la ayuda y la guía de Uriel y de Zadkiel. Percibió un zumbido en los oídos, el cual atribuyó a la presencia y guía de los arcán-

geles. Celia también sintió una indescriptible sensación de paz y de confianza. En vez de que el examen tardara ocho horas, sólo duró seis.

En la primera vuelta, Celia había terminado con tensión y dolor de cabeza; pero con la ayuda de Uriel y de Zadkiel, en esta ocasión se sintió llena de fe. ¡Y, por supuesto, aprobó!

Sanando nuestros recuerdos

Gracias, arcángel Zadkiel,
por ayudarme a concentrarme en mis
recuerdos bellos y soltar los demás.

La misión doble de Zadkiel de perdón y recuerdo te ayuda a sanar el dolor emocional del pasado. El arcángel puede trabajar contigo para liberar ira pasada o sentimientos de victimización para que recuerdes y vivas tu misión Divina. Si le pides sanación emocional a Zadkiel, alejará tu concentración de los recuerdos dolorosos y la guiará a la recolección de los momentos hermosos de tu vida.

Linda Sue Blaylock adora comunicarse con el arcángel Zadkiel, y suele recibir mensajes profundos de su parte durante sus meditaciones. Hace poco, escribió acerca de algunos de ellos relacionados con la comunicación con los demás:

Baja la guardia, no sólo contigo, también con los demás. Ahora es el momento de las conexiones y al amor. Presta atención a todas las almas nuevas que entran a tu espacio ahora. Recuerda que llegan a tu vida por una razón específica, igual que tú a la de ellas. Todos tienen algo que ofrecer y compartir con los demás, ¡incluido tú! La singularidad de cada persona es algo que debe apreciarse y valorarse, no juzgarse. Mira las diferencias que existen y celebra el aprendizaje y lo que compartes con ellas. Te sorprenderán las nuevas experiencias y la ayuda que llega a sus vidas.

Zadkiel aconsejó a Linda que mantuviera la mente abierta con gente de su pasado que reapareció en su vida y que no la juzgara; le sugirió que sanara viejas heridas emocionales, y le prometió: "El cambio energético será inmenso, y el universo florecerá para volverse un medio ambiente más pacífico y cariñoso, una realidad que muchos desean".

🔱

El arcángel Zadkiel es un estupendo sanador de la mente, que nos guía con cariño de la mano pa-

ra que asumamos la responsabilidad de nuestra felicidad. En el Epílogo, conocerás a otros ángeles a
los que quizá desees llamar para trabajar con ellos.

EPÍLOGO

OTROS ARCÁNGELES
IMPORTANTES

Existen cientos, quizá miles, de arcángeles en el universo. Las antiguas escrituras judías dicen que cada vez que Dios habla, se crea un ángel. La gran mayoría de ángeles y arcángeles es servicial, cariñosa, confiable y benévola. Si quieres saber si puedes confiar en ellos, investiga y escucha las reacciones de tu cuerpo ante el nombre del ángel. Si te sientes relajado y feliz cuando lo lees, ¡es una buena señal! Si en algún momento percibes incomodidad ante una persona, espíritu, ángel o demás, por favor, haz caso a la advertencia y evita a ese ser en el futuro.

Como se trata de un libro de introducción ("101") sobre el reino de los arcángeles, decidí concentrarme en quince de mis favoritos; sin embargo, existen muchos otros a los que quizá desees conocer y comunicarte con ellos, como estos ángeles confiables y honrados desde hace mucho tiempo:

Barachiel, **Baradiel o Baraqiel:** uno de los siete arcángeles de la fe ortodoxa oriental y que aparece en el Libro de Enoc, protege de las granizadas, literales y metafóricas. Llama a Barachiel cuando necesites fuerza para seguir adelante.

Jegudiel o Jehudiel: este arcángel gnóstico y ortodoxo oriental ayuda y apoya a aquellos que pasan por pruebas difíciles o trabajan duro por cumplir su misión Divina. Protege y guía a quienes se dedican a trabajar por la gloria de Dios. En el arte, Jegudiel es plasmado, sosteniendo una corona dorada.

Sealtiel o Selafiel: este arcángel intercede ante Dios y nos ayuda a permanecer concentrados en nuestras plegarias para que oremos de corazón sin distraernos. Sealtiel es uno de los siete arcángeles gnósticos y es descrito en el tercer Libro de Esdras.

Tzaphkiel o Zaphkiel: este arcángel preside la espera *Binah* del Árbol de la Vida de la Cábala. La

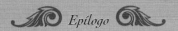

Binah es el conducto sagrado femenino de comprensión y razonamiento intuitivo.

Zerachiel: uno de los siete arcángeles que se nombran en el primer Libro de Enoc, Zerachiel es un arcángel de la vida eterna que cuida a los niños abusados. Su nombre significa "orden de Dios".

APÉNDICE

ESPECIALIDADES DE LOS ARCÁNGELES

Miguel — protección, valor, confianza y seguridad; guía para la misión; reparación de artículos mecánicos y electrónicos.

Rafael — sanación de personas y animales; guía para los sanadores en su educación y práctica; guía y protección para los viajeros; conexión con tu alma gemela.

Gabriel — portador de mensajes importantes y claros; ayuda para aquellos que son mensajeros (maestros, escritores, actores y artistas); asistencia en todos los aspectos de la crianza de los hijos, incluyendo concepción, adopción y nacimiento.

Uriel — comprensión intelectual; conversaciones; ideas, entendimiento y epifanías; estudios, escuela y exámenes; expresión oral y escrita.

Chamuel — paz universal y personal; localización de lo que estás buscando.

Ariel — conexión con la naturaleza, los animales y los espíritus de la naturaleza (como las hadas); manifestación de necesidades materiales terrenales; guía para la carrera o pasatiempos relacionados con el medio ambiente o el cuidado de los animales.

Metatrón — geometría sagrada y trabajo de sanación esotérica; trabajo con las energías universales, incluyendo control del tiempo y "estiramiento del tiempo"; ayuda a gente altamente sensible (sobre todo a los pequeños a los que suele conocérseles como *índigo* o *cristal*).

Sandalfón — recepción y entrega de plegarias entre Dios y los humanos; guía y apoyo a los músicos.

Azrael — sanación para los afligidos; ayuda para las almas que cruzan al otro lado; asistencia a terapeutas del dolor.

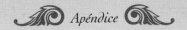

Jofiel — embellecimiento y fortalecimiento de pensamiento y emociones; limpieza del desorden que hay en tu vida.

Haniel — despertar y confianza en los dones espirituales de intuición y clarividencia; liberación de lo viejo; apoyo y sanación de los problemas de salud física y emocional de las mujeres.

Raziel — comprensión de los secretos del universo; recuerdo y sanación de vidas pasadas; comprensión de la sabiduría esotérica, como interpretación de los sueños.

Raguel — sanación de discusiones o malos entendidos; armoniza las situaciones; atracción de estupendos amigos nuevos.

Jeremiel — desarrollo y comprensión de visiones espirituales y clarividencia; conducción de la revisión de tu vida para que hagas ajustes con respecto a lo que deseas vivir.

Zadkiel — ayuda a estudiantes para que recuerden información y cifras en los exámenes; sanación de recuerdos dolorosos; recuerdo de tu origen y misión espirituales Divinos; perdón.

COLORES DEL AURA DE LOS ARCÁNGELES

Miguel — morado, azul rey y dorado

Rafael — verde esmeralda

Gabriel — cobre

Uriel — amarillo

Chamuel — verde pálido

Ariel — rosa pálido

Metatrón — violeta y verde

Sandalfón — turquesa

Azrael — blanco crema

Jofiel — rosa oscuro

Haniel — azul pálido (luz de luna)

Raziel — arco iris

Raguel — azul pálido

Jeremiel — púrpura oscuro
Zadkiel — azul índigo profundo

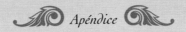
CRISTALES Y GEMAS RELACIONADOS CON LOS ARCÁNGELES

Miguel — sugilita

Rafael — esmeralda o malaquita

Gabriel — cobre

Uriel — ámbar

Chamuel — fluorita

Ariel — cuarzo rosa

Metatrón — turmalina roja

Sandalfón — turquesa

Azrael — calcita amarilla

Jofiel — rubelita o turmalina rosa oscuro

Haniel — piedra lunar

Raziel — cuarzo transparente

Raguel — aguamarina

Jeremiel — amatista

Zadkiel — lapislázuli

SIGNOS ASTROLÓGICOS RELACIONADOS CON LOS ARCÁNGELES

Miguel, Rafel y Haniel — abarcan a todos

Gabriel — *Cáncer*, el padre cariñoso y trabajador

Uriel — *Acuario*, el pensador y analista

Chamuel — *Tauro*, el buscador insistente de lo que se quiere encontrar

Ariel — *Aries*, la luz, el espíritu libre y feliz

Metatrón — *Virgo*, el trabajador, el diligente, el inventivo, el curioso, el perfeccionista serio

Sandalfón — *Piscis*, el soñador artístico

Azrael — *Capricornio*, el sanador relacionado con la mortalidad y la finalidad

Jofiel — *Libra*, el amante de la belleza y el orden

Raziel — *Leo*, el dramático arco iris de colores y luz brillante

Raguel — *Sagitario*, el pacifista sociable

Jeremiel — *Escorpión*, el que dice la verdad y entra a las sombras cómodamente

Zadkiel — *Géminis*, el sociable y estudioso que hace muchas cosas a la vez

ACERCA DE LA
AUTORA

Doreen Virtue tiene una licenciatura en artes y una maestría en orientación psicológica por parte de la Universidad Chapman; una licenciatura en orientación psicológica por parte de la California Coast University, y un diplomado del Antelope Valley College. Es una clarividente de nacimiento que trabaja con el reino de los ángeles.

Doreen ha escrito sobre arcángeles en sus libros *Sanación con los ángeles; Cómo escuchar a tus ángeles; Mensajes de tus ángeles; Arcángeles y maestros ascendidos;* así como *Las cartas del oráculo de arcángeles*, entre otras obras, editadas por Grupo Editorial Tomo.

Doreen ha salido en programas de televisión estadunidenses como *Oprah*, CNN, *The View*, y otros programas de radio y televisión. Escribe con frecuencia para las revistas *Woman's World, Spheres* y *Spirit & Destiny* (todas publicaciones estadunidenses). Para mayor información sobre Doreen y los talleres que da, por favor, visita la página web **www.AngelTherapy.com**

Puedes escuchar el programa de radio semanal de Doreen en vivo y llamar para una sesión en **Hay HouseRadio.com**®.

Notas

Notas

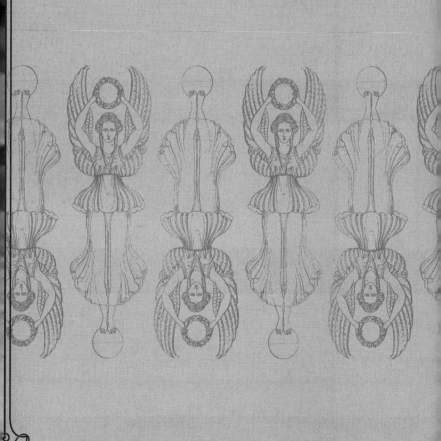

TÍTULOS DE ESTA COLECCIÓN

Impreso en el mes de Octubre de 2012
en los Talleres de Impresos Vacha, S.A. de C.V.
Juan Hernández y Dávalos Núm. 47, Col. Algarín,
México, D.F., CP 06880, Del. Cuauhtémoc.
Tels.: 5440 7244   5440 7375